하루 10분 서술형/문장제 학습지

씨투엠

수학 독해

F3

직육면체와 원

초6

씨투엠

수학독해 : 수학을 스스로 읽고 해결하다

객관식이나 간단한 단답형 문제는 자신 있는데 긴 문장이나 풀이 과정을 쓰라는 문제는 어려워하는 아이들이 있어요. 빠르고 정확하게 연산하고 교과 응용문제까지도 곧잘 풀어내지만, 문제 속 상황이 약간만 복잡해지면 문제를 풀려고도 하지 않는 아이들도 많아요. 이러한 아이들에게 부족한 것은 연산 능력이나 문제 해결력보다는 독해력과 표현력입니다. 특히 수학적 텍스트를 이해하고 표현하는 능력, 즉 수학 독해력이지요.

요즘 아이들의 독해력이 약해진 가장 큰 이유는 과거에 비해 이야기를 만나는 방식이 다양해졌기 때문이에요. 예전에는 대부분 말이나 글로써만 이야기를 접했어요. 텍스트 위주로 여러 가지 사건을 간접 체험하고, 머리 속으로 상황을 그려 내는 훈련이 자연스럽게 이루어졌지요. 반면 요즘 아이들은 글보다도 TV나 스마트폰 등 영상매체에 훨씬 빨리, 자주 노출되기에 글을 통해 상상을 할 필요가 점점 없어지게 되었습니다.

그렇다고 아이들에게 어렸을 때부터 영화나 애니메이션을 못 보게 하고 책만 읽게 하는 것은 바람직하지 않고, 가능하지도 않아요. 시각 매체는 그 자체로 많은 장점이 있기 때문에 지금의 아이들은 예전 세대에 비해 이미지에 대한 이해력과 적용력이 매우 뛰어나답니다. 문제는 아직까지 모든 학습과 평가 방식이 여전히 텍스트 위주이기 때문에 지금도 아이들에게 독해력이 중요하다는 점이에요. 그래서 저희는 영상 매체에는 익숙하지만 말이나 글에는 약한 아이들을 위한 새로운 수학 독해력 향상 프로그램인 씨투엠 수학독해를 기획하게 되었어요.

씨투엠 수학독해는 기존 문장제/서술형 교재들보다 더욱 쉽고 간단한 학습법을 보여주려 해요. 문제에 있는 문장과 표현 하나하나마다 따로 접근하여 아이들이 어려워하는 포인트를 찾고, 각 포인트마다 직관적인 활동을 통해 독해력과 표현력을 차근차근 끌어올리려고 합니다. 또한 문제 이해와 풀이 서술 과정을 단계별로 세세하게 나누어 문장제, 서술형 문제를 부담 없이 체계적으로 연습할 수 있어요. 새로운 문장제 학습법인 씨투엠 수학독해가 문장제 문제에 특히 어려움을 겪고 있거나 앞으로 서술형 문제를 좀 더 잘 대비하고 싶은 아이들에게 큰 도움이 될 것이라 자신합니다.

씨투엠

수학독해의 구성과 특징

- 매일 부담없이 2쪽씩, 하루 10분 문장제 학습
- 매주 5일간 단계별 활동, 6일차는 중요 문장제 확인학습
- 5회분의 진단평가로 테스트 및 복습

주차별 구성

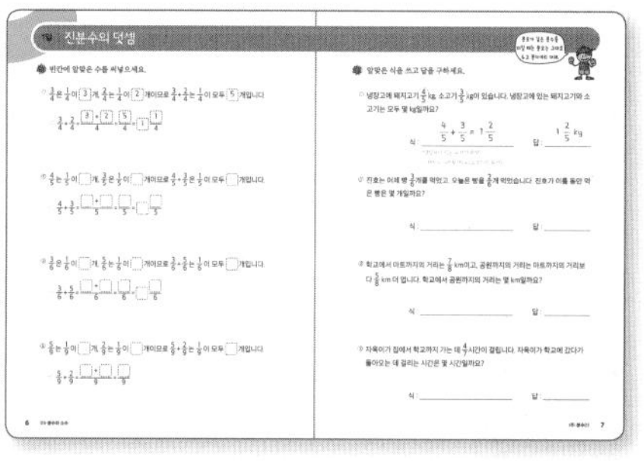

일일학습

꼬마 수학자들의 간단한 팁과 함께 매일 새롭게 만나는 단계별 문장제 활동

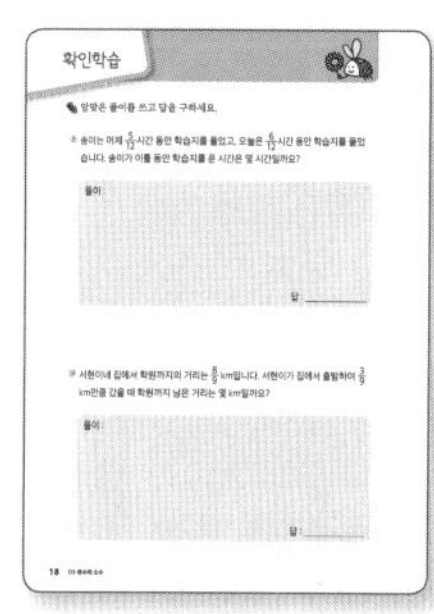

확인학습

중요 문장제 활동을 다시 한번 확인하며 주차 학습 마무리

주차	1일	2일	3일	4일	5일	확인학습
1주차	6쪽 ~ 7쪽	8쪽 ~ 9쪽	10쪽 ~ 11쪽	12쪽 ~ 13쪽	14쪽 ~ 15쪽	16쪽 ~ 18쪽
2주차	20쪽 ~ 21쪽	22쪽 ~ 23쪽	24쪽 ~ 25쪽	26쪽 ~ 27쪽	28쪽 ~ 29쪽	30쪽 ~ 32쪽
3주차	34쪽 ~ 35쪽	36쪽 ~ 37쪽	38쪽 ~ 39쪽	40쪽 ~ 41쪽	42쪽 ~ 43쪽	44쪽 ~ 46쪽
4주차	48쪽 ~ 49쪽	50쪽 ~ 51쪽	52쪽 ~ 53쪽	54쪽 ~ 55쪽	56쪽 ~ 57쪽	58쪽 ~ 60쪽

진단평가 구성

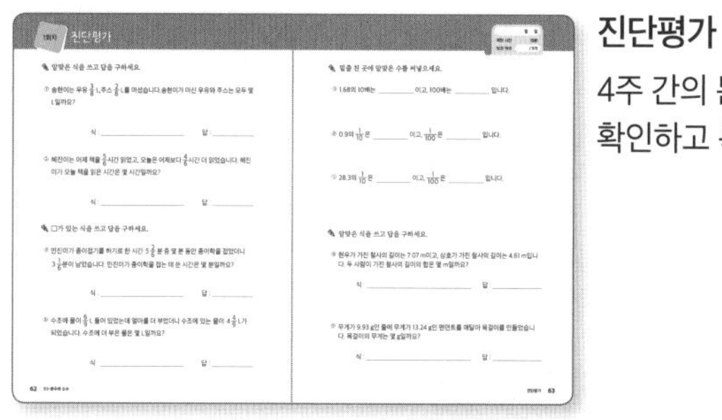

진단평가

4주 간의 문장제 학습에서 부족한 부분을 확인하고 복습하기 위한 자가 진단 테스트

진단평가	1회	2회	3회	4회	5회
	62쪽 ~ 63쪽	64쪽 ~ 65쪽	66쪽 ~ 67쪽	68쪽 ~ 69쪽	70쪽 ~ 71쪽

이 책의 차례

1주차

직육면체의 부피와 겉넓이(1)

1일 직육면체의 부피 비교하기

❀ ▢ 안에 알맞은 말을 써넣으세요.

✪

가

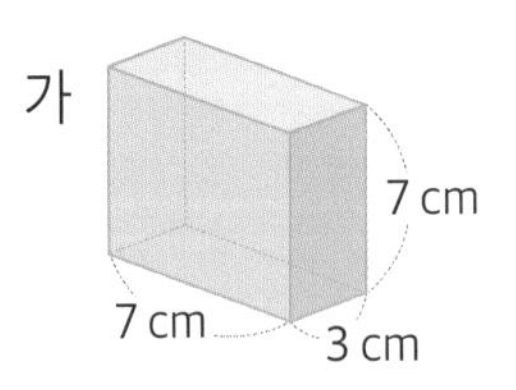

나

7 cm
5 cm
3 cm

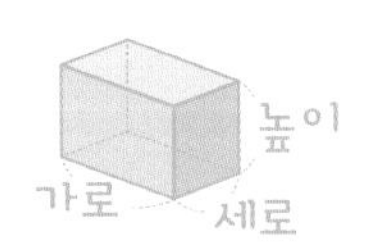

가와 나는 [세로] 와 [높이] 가 모두 같고, 가로는 [가] 가 깁니다.

따라서 부피가 더 큰 것은 [가] 입니다.

①

가

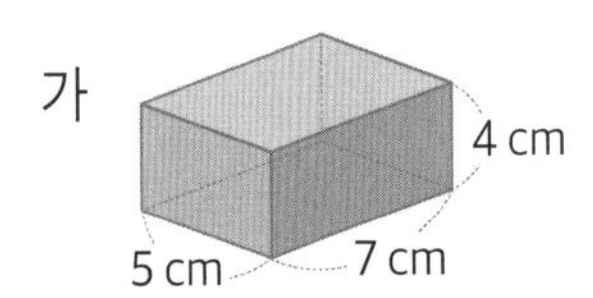

나

4 cm
5 cm
9 cm

가와 나는 ▢ 와 ▢ 가 모두 같고, 세로는 ▢ 가 깁니다.

따라서 부피가 더 큰 것은 ▢ 입니다.

②

가

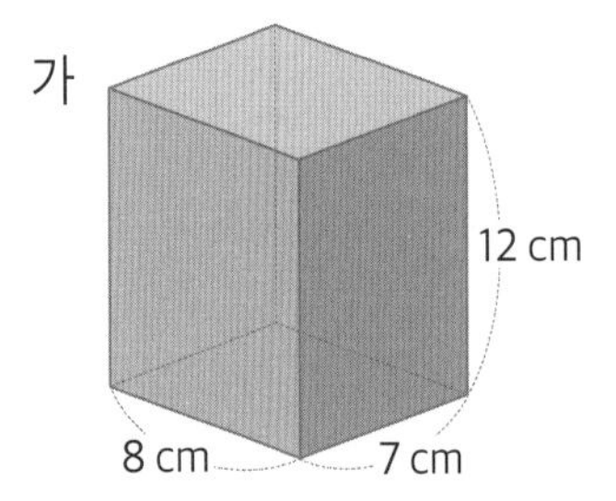

나

9 cm
8 cm
7 cm

가와 나는 ▢ 와 ▢ 가 모두 같고, 높이는 ▢ 가 깁니다.

따라서 부피가 더 큰 것은 ▢ 입니다.

❀ ▢ 안에 알맞은 수나 말을 써넣으세요.

✪

가 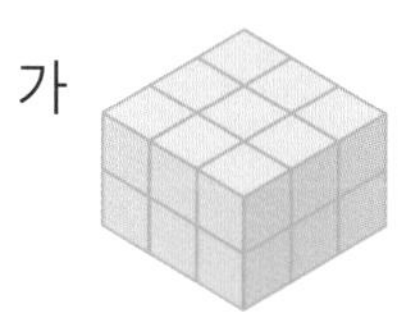 나

직육면체 **가**의 쌓기나무는 [18]개, 직육면체 **나**의 쌓기나무는 [16]개입니다. 쌓기나무의 수가 [가]가 더 많으므로 부피가 더 큰 것은 [가]입니다.

①

가 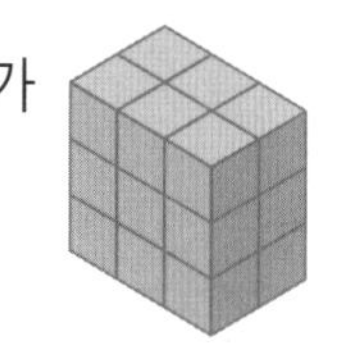 나 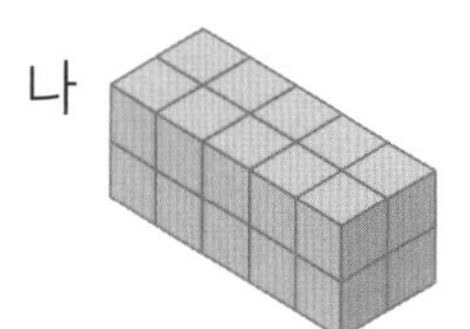

직육면체 **가**의 쌓기나무는 ▢개, 직육면체 **나**의 쌓기나무는 ▢개입니다. 쌓기나무의 수가 ▢가 더 많으므로 부피가 더 큰 것은 ▢입니다.

②

가 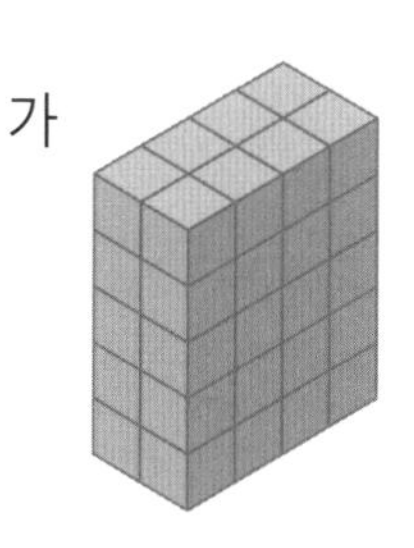 나 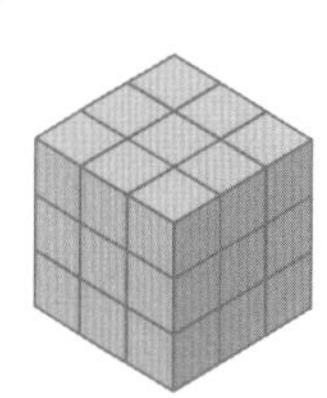

직육면체 **가**의 쌓기나무는 ▢개, 직육면체 **나**의 쌓기나무는 ▢개입니다. 쌓기나무의 수가 ▢가 더 많으므로 부피가 더 큰 것은 ▢입니다.

2일 직육면체의 부피 구하기

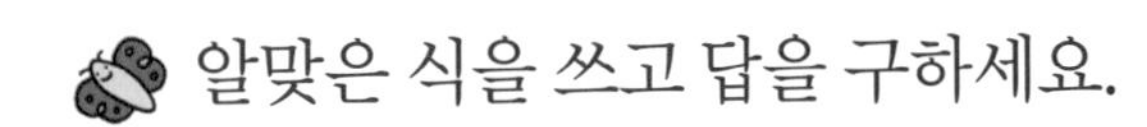

알맞은 식을 쓰고 답을 구하세요.

가로가 5 cm, 세로가 3 cm, 높이가 4 cm인 직육면체의 부피는 몇 cm^3일까요?

식 : $5 \times 3 \times 4 = 60$ 답 : $60\ cm^3$

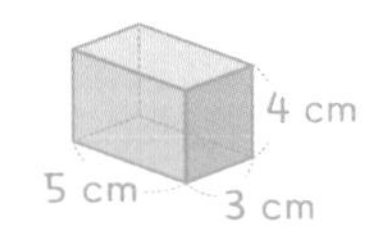

① 가로가 6 cm, 세로가 10 cm, 높이가 5 cm인 직육면체 모양 빵의 부피는 몇 cm^3일까요?

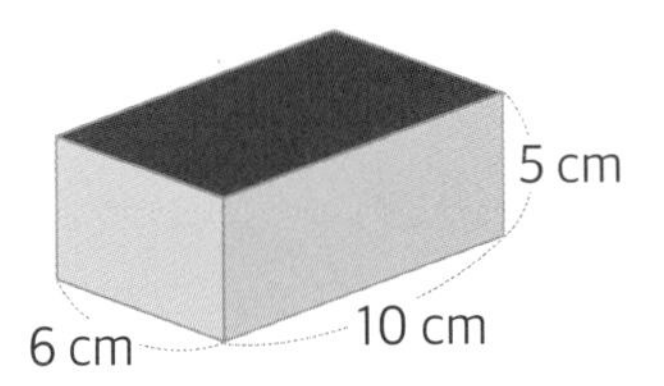

식 : ______________________ 답 : ____________

② 가로가 8 cm, 세로가 5 cm, 높이가 3 cm인 직육면체 모양 장난감 블럭의 부피는 몇 cm^3일까요?

식 : ______________________ 답 : ____________

③ 가로가 15 cm, 세로가 15 cm, 높이가 9 cm인 직육면체 모양 케이크의 부피는 몇 cm^3일까요?

식 : ______________________ 답 : ____________

 물음에 답하세요.

✪ 두 직육면체 중 부피가 더 큰 것의 기호를 써 보세요.

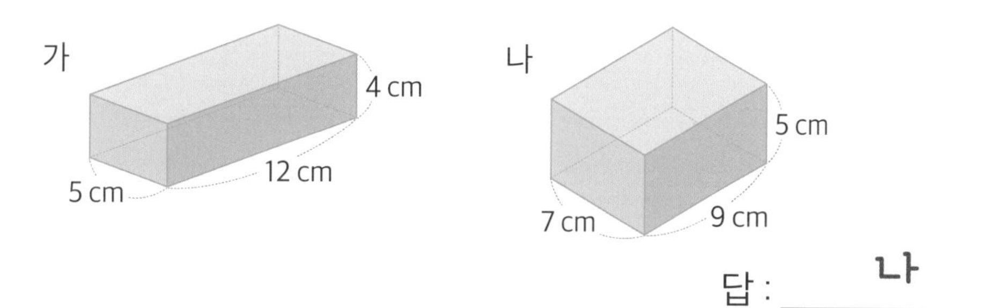

답 : 나

(가의 부피) = 5 × 12 × 4 = 240 (cm^3), (나의 부피) = 7 × 9 × 5 = 315 (cm^3)

① 두 직육면체 중 부피가 더 큰 것의 기호를 써 보세요.

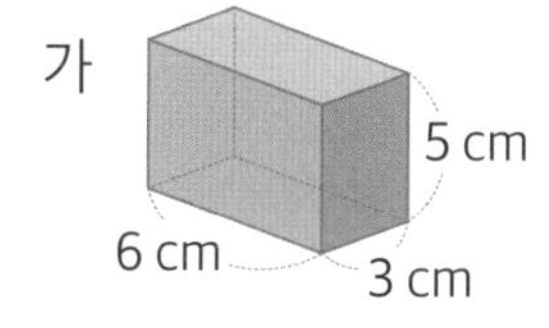

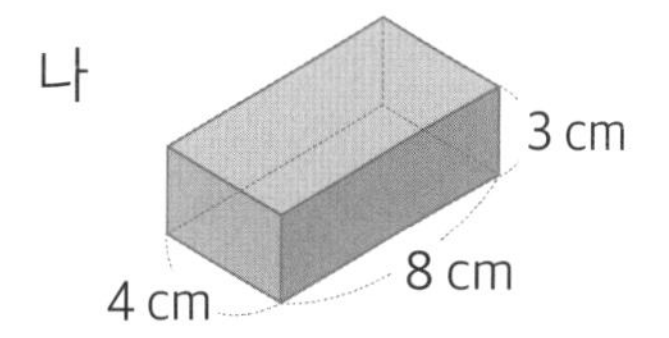

답 :

② 세 직육면체 중 부피가 가장 큰 것부터 차례로 기호를 써 보세요.

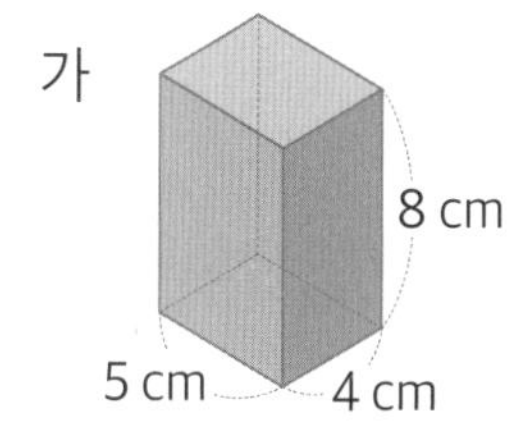

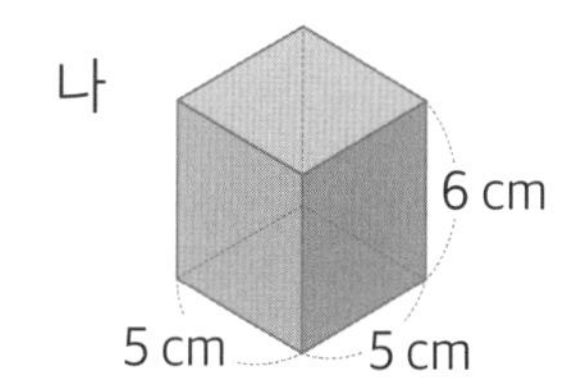

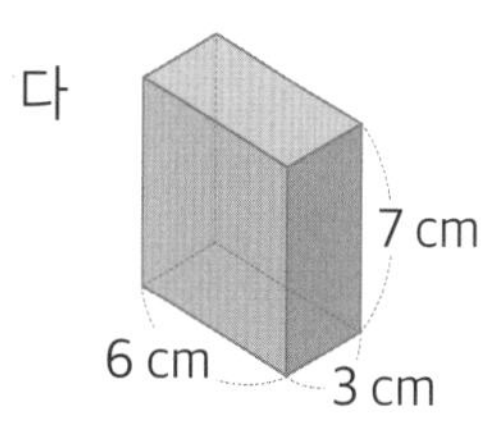

답 :

3일 정육면체의 부피

알맞은 식을 쓰고 답을 구하세요.

✪ 한 모서리의 길이가 3 cm인 정육면체의 부피는 몇 cm^3일까요?

식 : $3 \times 3 \times 3 = 27$ 답 : 27 cm^3

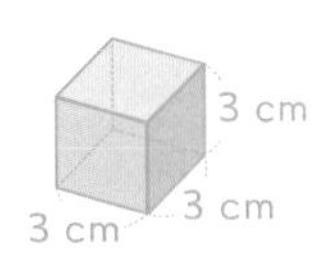

① 한 모서리의 길이가 4 cm인 정육면체 모양 주사위가 있습니다. 이 주사위의 부피는 몇 cm^3일까요?

식 : ______________________ 답 : __________

② 한 모서리의 길이가 6 cm인 정육면체 모양 상자가 있습니다. 이 상자의 부피는 몇 cm^3일까요?

식 : ______________________ 답 : __________

③ 소림이는 한 모서리의 길이가 10 cm인 정육면체 모양 나무 블록을 가지고 있습니다. 이 나무 블록의 부피는 몇 cm^3일까요?

식 : ______________________ 답 : __________

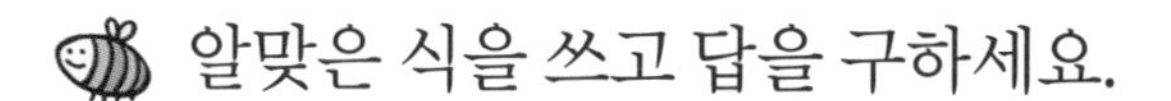

알맞은 식을 쓰고 답을 구하세요.

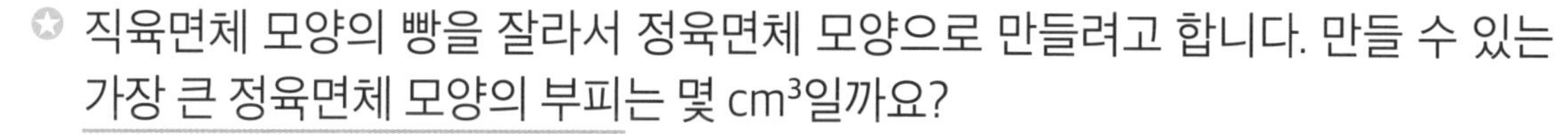

☆ 직육면체 모양의 빵을 잘라서 정육면체 모양으로 만들려고 합니다. 만들 수 있는 가장 큰 정육면체 모양의 부피는 몇 cm³일까요?

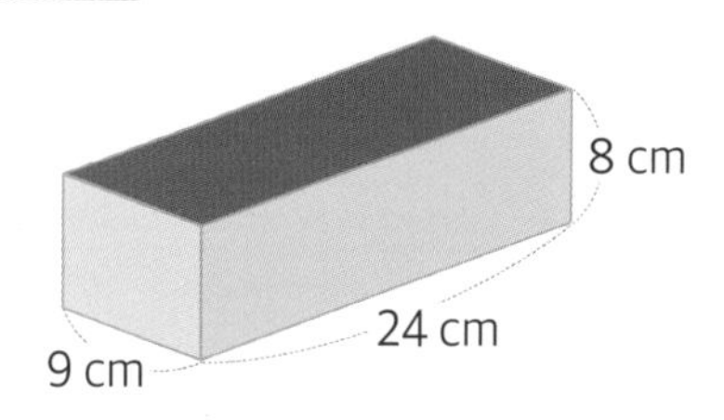

식 : $8 \times 8 \times 8 = 512$ 답 : 512 cm³

가장 큰 정육면체의 한 모서리의 길이는 직육면체의 가장 짧은 모서리의 길이에 맞춰야 합니다.

① 직육면체 모양의 두부를 잘라서 정육면체 모양으로 만들려고 합니다. 만들 수 있는 가장 큰 정육면체 모양의 부피는 몇 cm³일까요?

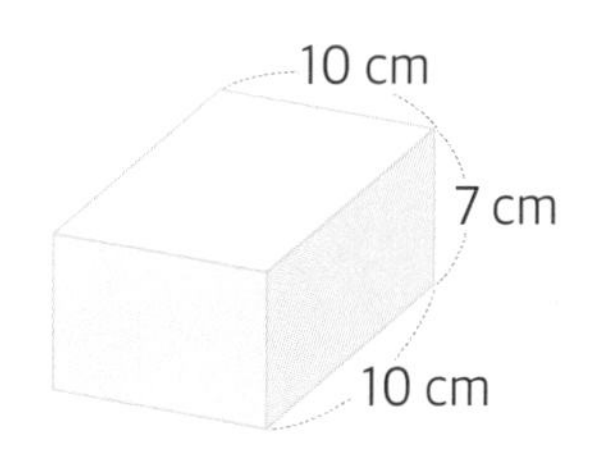

식 : ________ 답 : ________

② 직육면체 모양의 떡을 잘라서 정육면체 모양으로 만든 후 비닐에 담았습니다. 비닐에 담고 남은 떡의 부피는 몇 cm³일까요?

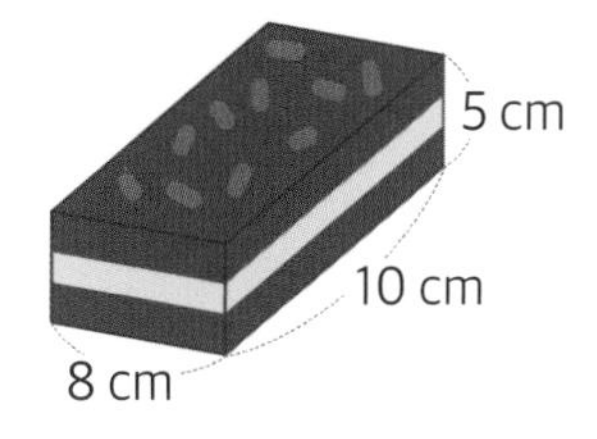

식 : ________ 답 : ________

4일 직육면체의 부피의 활용

풀이 과정을 쓰고 답을 구하세요.

부피가 180 cm^3인 직육면체가 있습니다. 이 직육면체의 세로가 5 cm, 높이가 9 cm일 때 가로는 몇 cm일까요?

풀이 : 직육면체의 가로를 □ cm라고 하면
(직육면체의 부피)=□×5×9=180, □=4

답 : 4 cm

① 부피가 126 cm^3인 직육면체가 있습니다. 이 직육면체의 가로가 3 cm, 높이가 6 cm일 때 세로는 몇 cm일까요?

풀이 :

답 :

② 부피가 200 cm^3이고 밑면이 정사각형인 직육면체가 있습니다. 이 직육면체의 높이가 8 cm일 때 밑면의 한 변의 길이는 몇 cm일까요?

풀이 :

답 :

입체도형의 부피는 몇 cm^3인지 풀이 과정을 쓰고 답을 구하세요.

✪

14 cm
10 cm
4 cm
4 cm
8 cm

① + ②

(①의 부피) + (②의 부피)

풀이 : (입체도형의 부피)
=8×10×4+(14-8)×4×4
=320+96=416

답 : $416\ cm^3$

①

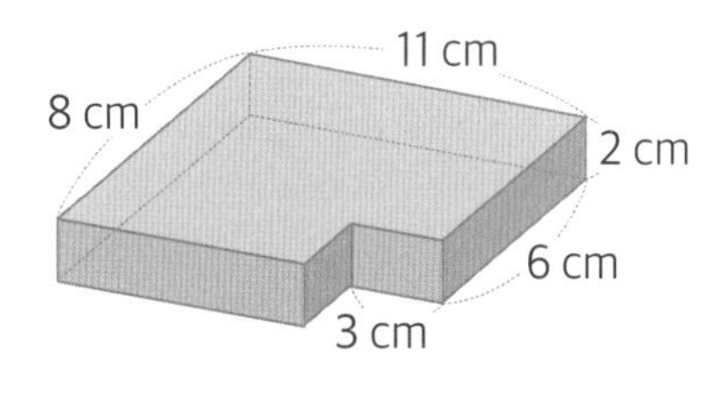

풀이 :

답 : ____________

②

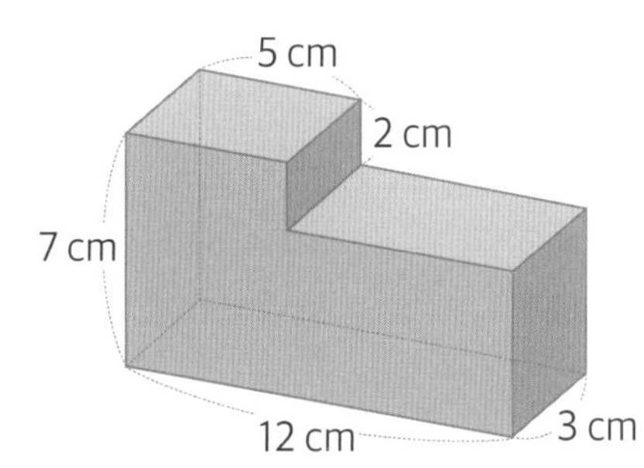

풀이 :

답 : ____________

5일 부피의 단위

물음에 답하세요.

직육면체의 부피는 몇 m^3일까요?

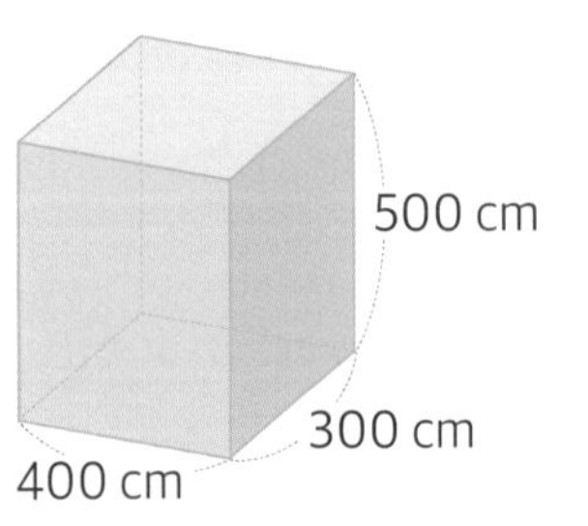

답 : 60 m^3

가로는 4 m, 세로는 3 m, 높이가 5 m이므로

부피는 $4 \times 3 \times 5 = 60$ (m^3)입니다.

① 직육면체의 부피는 몇 m^3일까요?

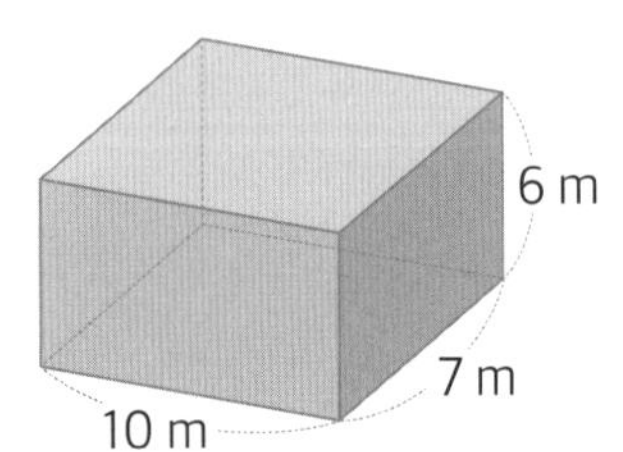

답 :

② 직육면체의 부피는 몇 m^3일까요?

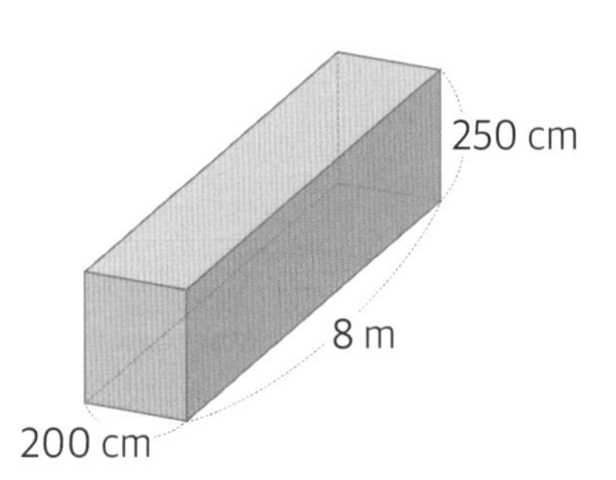

답 :

③ 정육면체의 부피는 몇 m^3일까요?

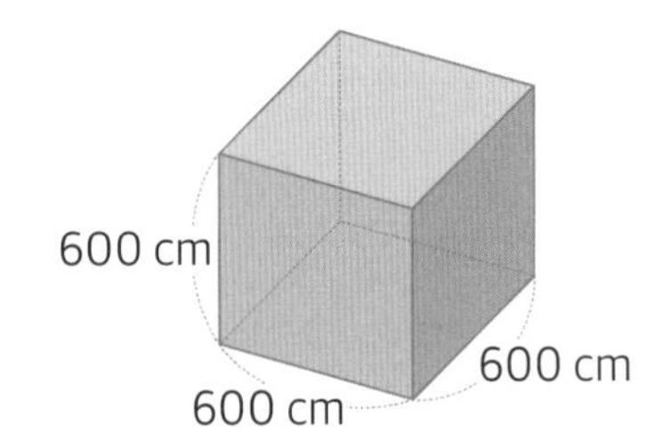

답 :

부피가 큰 순서대로 기호를 써 보세요.

☆

㉠ $4.5\ m^3$
㉡ $5300000\ cm^3$
㉢ 가로가 3 m, 세로가 2 m, 높이가 70 cm인 직육면체의 부피

㉡ $5.3\ m^3$, ㉢ $3 \times 2 \times 0.7 = 4.2\ (m^3)$

답 : ㉡, ㉠, ㉢

①

㉠ 한 모서리의 길이가 4 m인 정육면체
㉡ 가로가 3 m, 세로가 4 m, 높이가 5 m인 직육면체
㉢ 가로가 700 cm, 세로가 500 cm, 높이가 200 cm인 직육면체의 부피

답 :

②

㉠ $9.4\ m^3$
㉡ $1400000\ cm^3$
㉢ 한 모서리의 길이가 250 cm인 정육면체
㉣ 가로가 2.5 m, 세로가 2 m, 높이가 40 cm인 직육면체의 부피

답 :

확인학습

알맞은 식을 쓰고 답을 구하세요.

① 가로가 6 cm, 세로가 4 cm, 높이가 7 cm인 직육면체의 부피는 몇 cm^3일까요?

식 : ______________________ 답 : __________

② 가로가 3 cm, 세로가 4 cm, 높이가 2 cm인 직육면체 모양 지우개의 부피는 몇 cm^3일까요?

식 : ______________________ 답 : __________

알맞은 식을 쓰고 답을 구하세요.

③ 한 모서리의 길이가 2 cm인 정육면체 모양 주사위가 있습니다. 이 주사위의 부피는 몇 cm^3일까요?

식 : ______________________ 답 : __________

④ 한 모서리의 길이가 7 cm인 정육면체 모양 블록이 있습니다. 이 블록의 부피는 몇 cm^3일까요?

식 : ______________________ 답 : __________

알맞은 식을 쓰고 답을 구하세요.

⑤ 직육면체 모양의 빵을 잘라서 정육면체 모양으로 만들려고 합니다. 만들 수 있는 가장 큰 정육면체 모양의 부피는 몇 cm^3일까요?

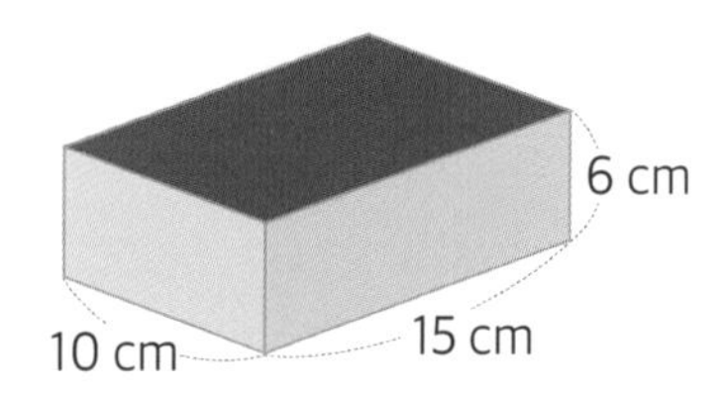

식 : ________________ 답 : ________

풀이 과정을 쓰고 답을 구하세요.

⑥ 부피가 336 cm^3인 직육면체가 있습니다. 이 직육면체의 가로가 6 cm, 세로가 7 cm일 때 높이는 몇 cm일까요?

풀이 :

답 : ________

⑦ 부피가 450 cm^3인 직육면체가 있습니다. 이 직육면체의 가로가 5 cm, 높이가 10 cm일 때 세로는 몇 cm일까요?

풀이 :

답 : ________

확인학습

물음에 답하세요.

⑧ 정육면체의 부피는 몇 m^3일까요?

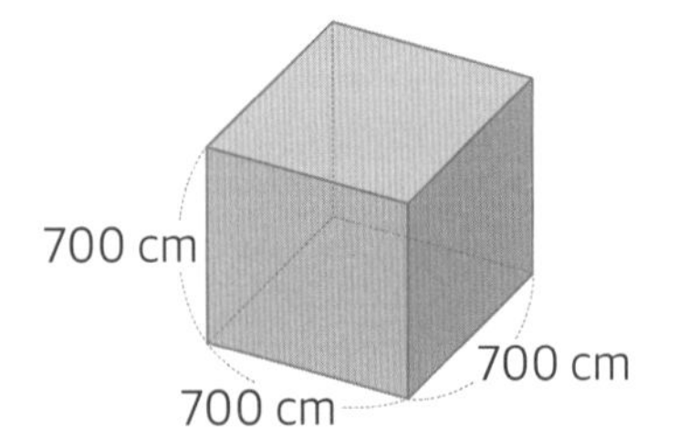

답 : ______________

⑨ 직육면체의 부피는 몇 m^3일까요?

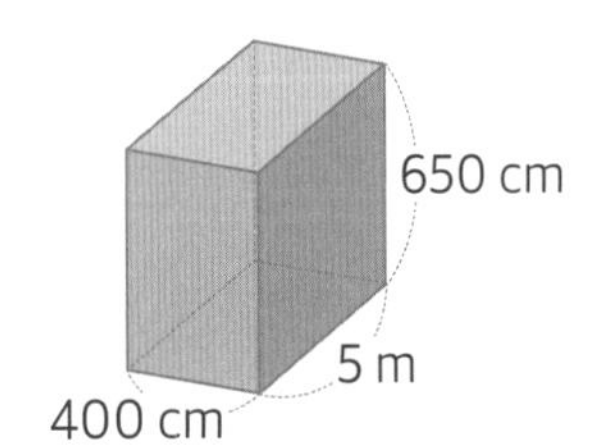

답 : ______________

부피가 큰 순서대로 기호를 써 보세요.

⑩

㉠ 2.1 m^3
㉡ 390000 cm^3
㉢ 가로가 0.5 m, 세로가 2 m, 높이가 3 m인 직육면체의 부피

답 : ______________

⑪

㉠ 한 모서리의 길이가 5 m인 정육면체
㉡ 가로가 6 m, 세로가 5 m, 높이가 4 m인 직육면체
㉢ 가로가 700 cm, 세로가 300 cm, 높이가 500 cm인 직육면체의 부피

답 : ______________

2주차

직육면체의 부피와 겉넓이(2)

1일 전개도와 직육면체의 겉넓이

2가지 방법으로 직육면체의 겉넓이를 구하세요.

☆

5 cm
3 cm
4 cm

5 cm
3 cm
4 cm

방법 1 (한 꼭짓점에서 만나는 세 면의 넓이의 합)×2

=(4×3+4× 5 +3× 5)×2= 47 ×2= 94 (cm²)

방법 2 (한 밑면의 넓이)×2+(옆면의 넓이)

=4× 3 ×2+ 14 ×5= 24 + 70 = 94 (cm²)

→ 4 + 3 + 4 + 3 =14

①

8 cm
6 cm
7 cm

8 cm
6 cm
7 cm

방법 1 (한 꼭짓점에서 만나는 세 면의 넓이의 합)×2

=(7×6+7×☐+6×☐)×2=☐×2=☐ (cm²)

방법 2 (한 밑면의 넓이)×2+(옆면의 넓이)

=7×☐×2+☐×8=☐+☐=☐ (cm²)

②

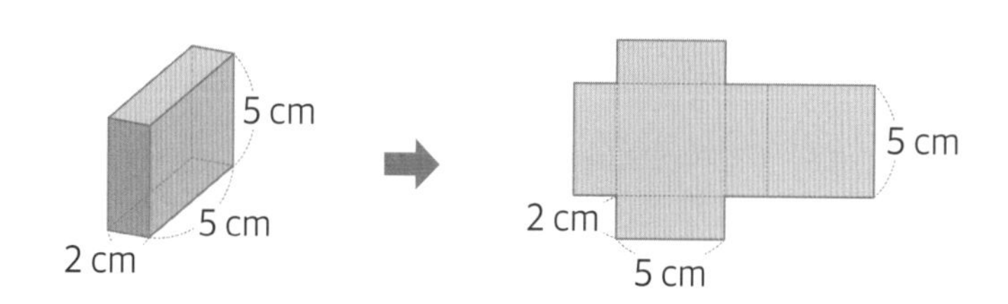

방법 1 (한 꼭짓점에서 만나는 세 면의 넓이의 합)×2

=(2×5+2×☐+5×☐)×2=☐×2=☐ (cm^2)

방법 2 (한 밑면의 넓이)×2+(옆면의 넓이)

=2×☐×2+☐×5=☐+☐=☐ (cm^2)

③

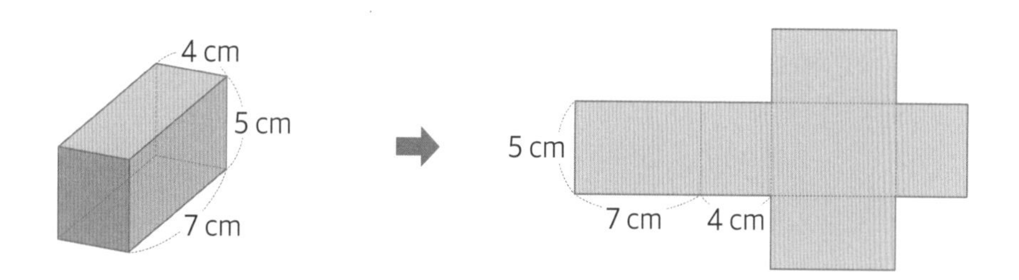

방법 1 (한 꼭짓점에서 만나는 세 면의 넓이의 합)×2

=(7×4+7×☐+4×☐)×2=☐×2=☐ (cm^2)

방법 2 (한 밑면의 넓이)×2+(옆면의 넓이)

=7×☐×2+☐×5=☐+☐=☐ (cm^2)

2일 직육면체의 겉넓이 구하기

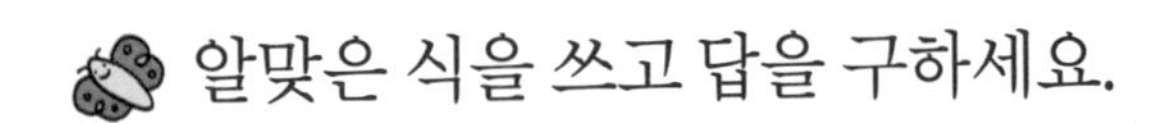
알맞은 식을 쓰고 답을 구하세요.

✪ 가로가 8 cm, 세로가 4 cm, 높이가 6 cm인 직육면체의 겉넓이는 몇 cm^2일까요?

식 : (8×4+8×6+4×6)×2=208 답 : 208 cm^2

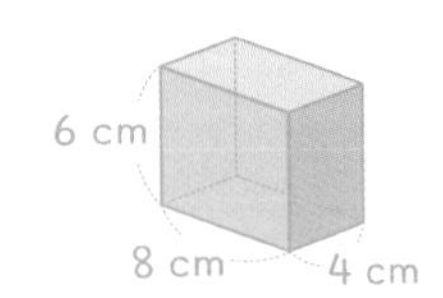

① 가로가 7 cm, 세로가 4 cm, 높이가 3 cm인 직육면체 모양 떡의 겉넓이는 몇 cm^2일까요?

식 : ____________________ 답 : __________

② 가로가 4 cm, 세로가 5 cm, 높이가 9 cm인 직육면체 모양 상자의 겉넓이는 몇 cm^2일까요?

식 : ____________________ 답 : __________

③ 가로가 15 cm, 세로가 6 cm, 높이가 5 cm인 직육면체 모양 벽돌의 겉넓이는 몇 cm^2일까요?

식 : ____________________ 답 : __________

물음에 답하세요.

✪ 두 직육면체 중 겉넓이가 더 큰 것의 기호를 써 보세요.

가

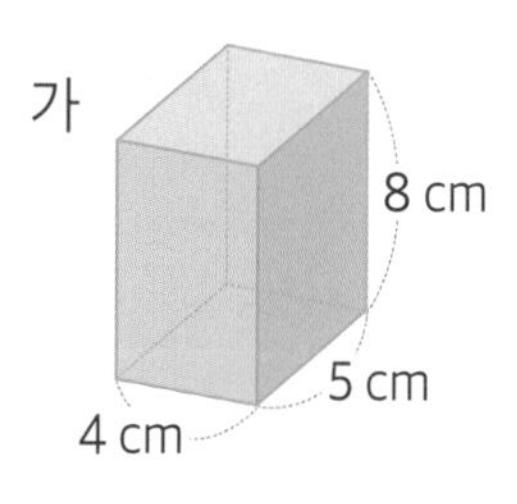

나

답 : 나

(가의 겉넓이) = (4 × 5 + 4 × 8 + 5 × 8) × 2 = 184 (cm^2)

(나의 겉넓이) = (7 × 6 + 7 × 5 + 6 × 5) × 2 = 214 (cm^2)

① 두 직육면체 중 겉넓이가 더 작은 것의 기호를 써 보세요.

가

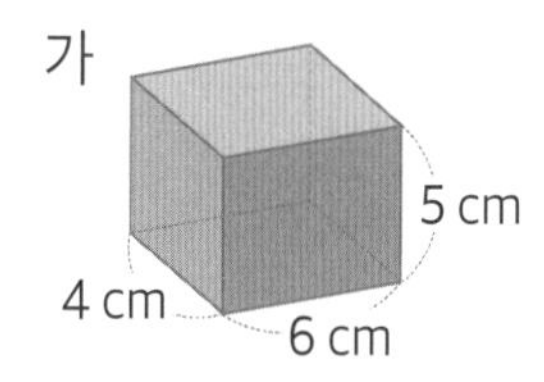

나

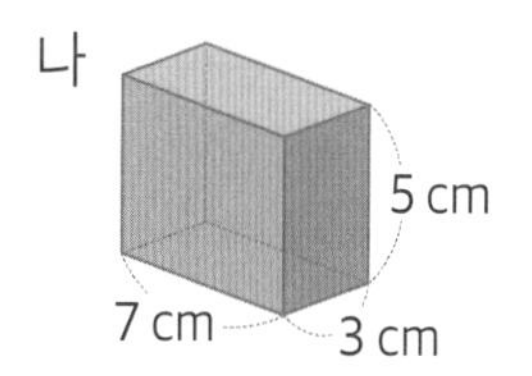

답 :

② 세 직육면체 중 겉넓이가 가장 큰 것부터 차례로 기호를 써 보세요.

가

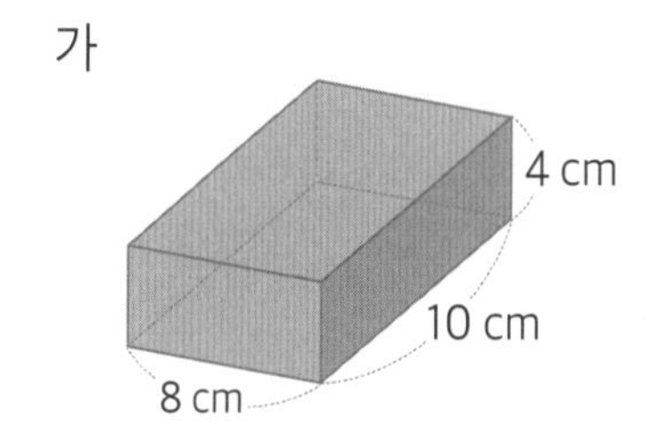

나

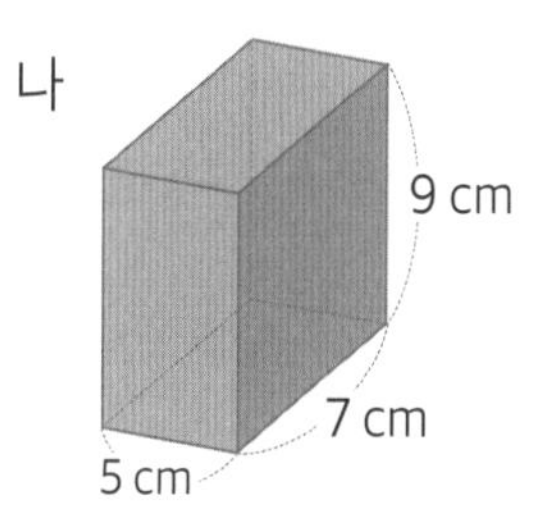

다

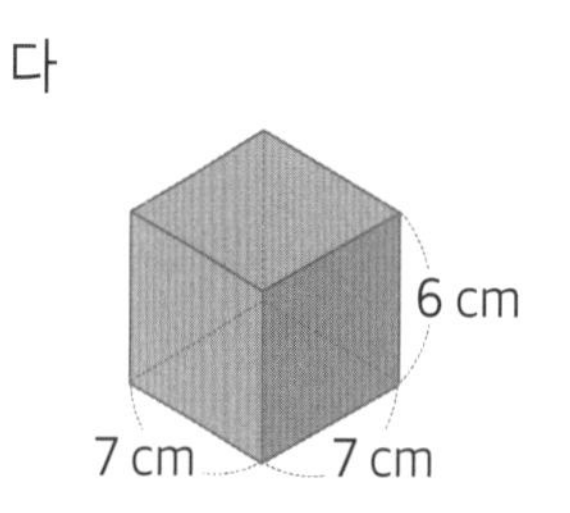

답 :

3일 정육면체의 겉넓이

물음에 답하세요.

✪ 다음 전개도를 이용하여 만들 수 있는 정육면체의 겉넓이는 몇 cm^2일까요?

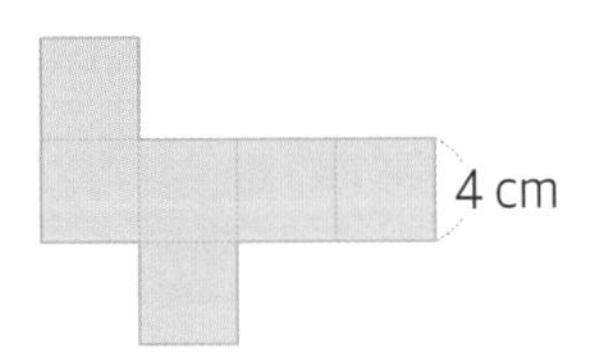

식 : $4 \times 4 \times 6 = 96$　　답 : $96\ cm^2$

① 다음 전개도를 이용하여 정육면체 모양 상자를 만들었습니다. 이 상자의 겉넓이는 몇 cm^2일까요?

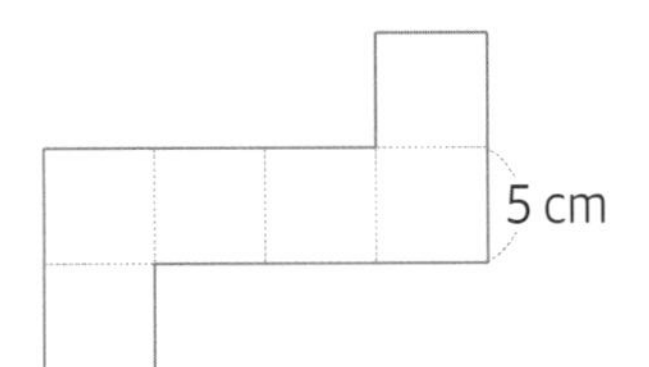

식 : ________　　답 : ________

② 다음 정육면체의 전개도에서 색칠한 부분의 넓이가 18 cm^2일 때, 이 정육면체의 겉넓이는 몇 cm^2일까요?

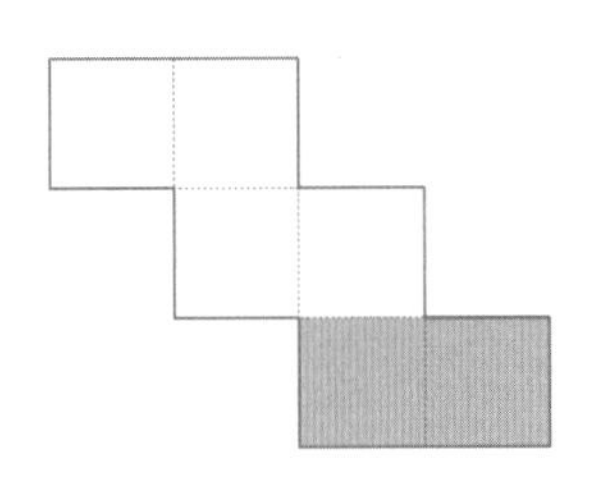

식 : ________　　답 : ________

알맞은 식을 쓰고 답을 구하세요.

✪ 한 모서리의 길이가 7 cm인 정육면체의 겉넓이는 몇 cm^2일까요?

식 : $7\times7\times6=294$ 답 : $294\ cm^2$

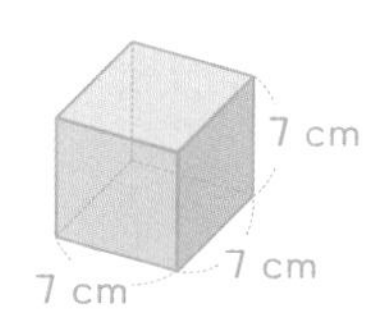

① 한 모서리의 길이가 3 cm인 정육면체 모양 주사위의 겉넓이는 몇 cm^2일까요?

식 : ______________________ 답 : ____________

② 한 모서리의 길이가 8 cm인 정육면체 모양 상자의 겉넓이는 몇 cm^2일까요?

식 : ______________________ 답 : ____________

③ 한 면의 넓이가 36 cm^2인 정육면체의 겉넓이는 몇 cm^2일까요?

식 : ______________________ 답 : ____________

4일 직육면체의 겉넓이의 활용

풀이 과정을 쓰고 답을 구하세요.

✪ 겉넓이가 202 cm^2인 직육면체가 있습니다. 이 직육면체의 가로가 8 cm, 세로가 3 cm라면 높이는 몇 cm일까요?

풀이 : 직육면체의 높이를 □ cm라고 하면
(직육면체의 겉넓이)=8×3×2+(8+3+8+3)×□=202,
48+22×□=202, 22×□=154, □=7

답 : 7 cm

① 겉넓이가 256 cm^2이고 밑면이 정사각형인 직육면체가 있습니다. 밑면의 한 변의 길이가 4 cm라면 직육면체의 높이는 몇 cm일까요?

풀이 :

답 : ______

② 정육면체의 겉넓이가 486 cm^2일 때 한 모서리의 길이는 몇 cm일까요?

풀이 :

답 : ______

 알맞은 식을 쓰고 답을 구하세요.

✪ 두부를 똑같이 2조각으로 잘랐습니다. 자른 두부 2조각의 겉넓이는 처음 두부의 겉넓이보다 몇 cm^2 더 늘어났을까요?

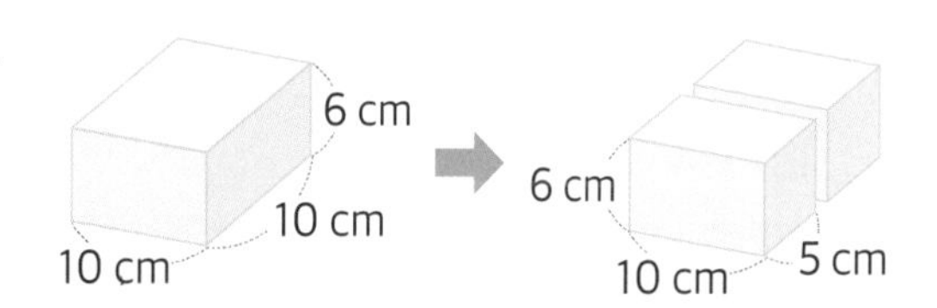

식 : 10×6×2=120　　답 : 120 cm^2

(늘어난 면의 넓이) = (가로) × (높이) × 2

① 나무 도막을 똑같이 2조각으로 잘랐습니다. 자른 나무 도막 2조각의 겉넓이는 처음 나무 도막의 겉넓이보다 몇 cm^2 더 늘어났을까요?

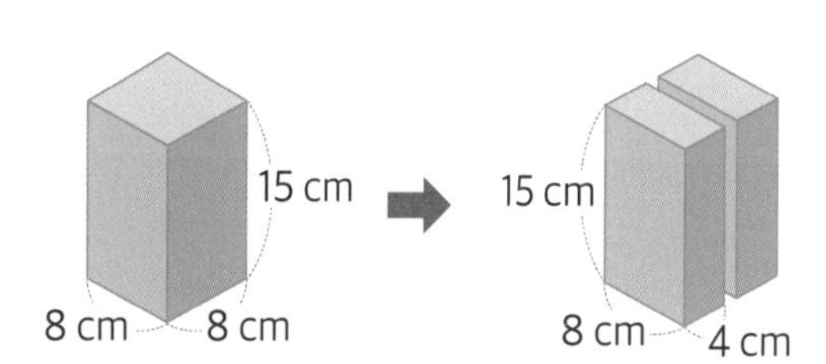

식 : ____________　　답 : ________

② 빵을 똑같이 4조각으로 잘랐습니다. 자른 빵 4조각의 겉넓이는 처음 빵의 겉넓이보다 몇 cm^2 더 늘어났을까요?

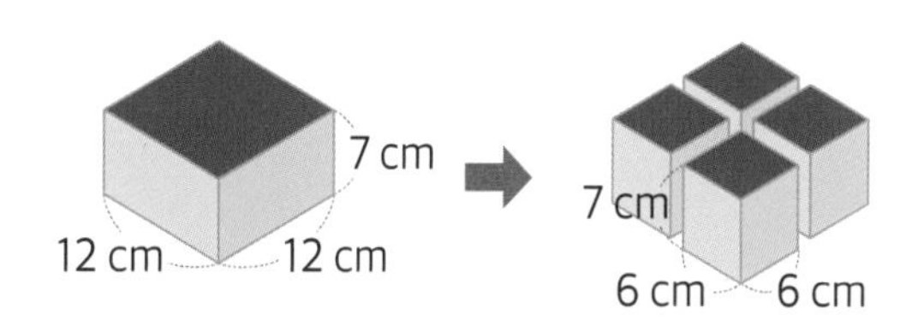

식 : ____________　　답 : ________

직육면체의 부피와 겉넓이

풀이 과정을 쓰고 답을 구하세요.

가로가 3 cm, 세로가 7 cm인 직육면체의 부피가 84 cm^3일 때, 겉넓이는 몇 cm^2일까요?

풀이 : (높이)=84÷(3×7)=4 (cm)이므로
(직육면체의 겉넓이)=(3×7+3×4+7×4)×2=122

답 : 122 cm^2

① 가로가 5 cm, 높이가 8 cm인 직육면체 모양의 상자의 부피가 360 cm^3일 때, 겉넓이는 몇 cm^2일까요?

풀이 :

답 :

② 부피가 27 cm^3인 정육면체의 겉넓이는 몇 cm^2일까요?

풀이 :

답 :

모르는 모서리의 길이를 먼저 구해야 해.

③ 겉넓이가 96 cm^2인 정육면체의 부피는 몇 cm^3일까요?

풀이 :

답 : ____________

④ 겉넓이가 348 cm^2인 직육면체가 있습니다. 이 직육면체의 가로가 9 cm, 세로가 6 cm일 때, 직육면체의 부피는 몇 cm^3일까요?

풀이 :

답 : ____________

⑤ 겉넓이가 112 cm^2이고 밑면이 정사각형인 직육면체가 있습니다. 밑면의 한 변의 길이가 4 cm일 때, 직육면체의 부피는 몇 cm^3일까요?

풀이 :

답 : ____________

확인학습

알맞은 식을 쓰고 답을 구하세요.

① 가로가 7 cm, 세로가 4 cm, 높이가 5 cm인 직육면체의 겉넓이는 몇 cm^2일까요?

식 : ______________________ 답 : __________

② 가로가 9 cm, 세로가 4 cm, 높이가 3 cm인 직육면체 모양 상자의 겉넓이는 몇 cm^2일까요?

식 : ______________________ 답 : __________

알맞은 식을 쓰고 답을 구하세요.

③ 한 모서리의 길이가 5 cm인 정육면체 모양 장난감 블록의 겉넓이는 몇 cm^2일까요?

식 : ______________________ 답 : __________

④ 한 면의 넓이가 100 cm^2인 정육면체의 겉넓이는 몇 cm^2일까요?

식 : ______________________ 답 : __________

풀이 과정을 쓰고 답을 구하세요.

⑤ 겉넓이가 78 cm^2이고 밑면이 정사각형인 직육면체가 있습니다. 밑면의 한 변의 길이가 3 cm라면 직육면체의 높이는 몇 cm일까요?

풀이 :

답 : ______

알맞은 식을 쓰고 답을 구하세요.

⑥ 떡을 똑같이 2조각으로 잘랐습니다. 자른 떡 2조각의 겉넓이는 처음 떡의 겉넓이보다 몇 cm^2 더 늘어났을까요?

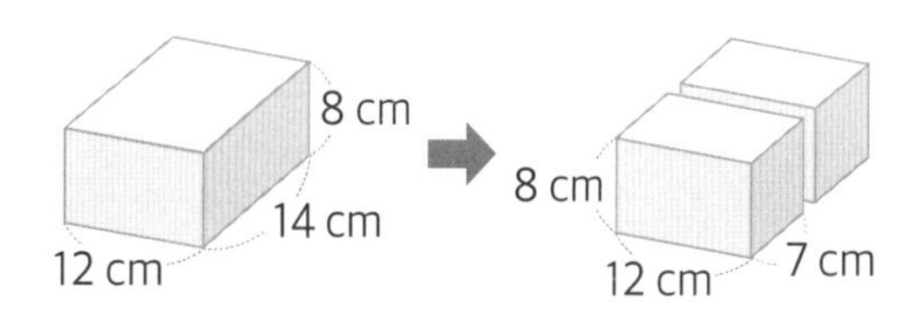

식 : ______ 답 : ______

⑦ 빵을 똑같이 4조각으로 잘랐습니다. 자른 빵 4조각의 겉넓이는 처음 빵의 겉넓이보다 몇 cm^2 더 늘어났을까요?

식 : ______ 답 : ______

확인학습

풀이 과정을 쓰고 답을 구하세요.

⑧ 세로가 6 cm, 높이가 7 cm인 직육면체 모양의 상자의 부피가 126 cm^3일 때, 겉넓이는 몇 cm^2일까요?

풀이 :

답 : ______________

⑨ 겉넓이가 294 cm^2인 정육면체의 부피는 몇 cm^3일까요?

풀이 :

답 : ______________

⑩ 겉넓이가 158 cm^2인 직육면체가 있습니다. 이 직육면체의 가로가 5 cm, 세로가 3 cm일 때, 직육면체의 부피는 몇 cm^3일까요?

풀이 :

답 : ______________

3주차

원주와 지름

1일 원주와 지름의 관계

설명이 맞으면 ○표, 틀리면 ╳표 하세요.

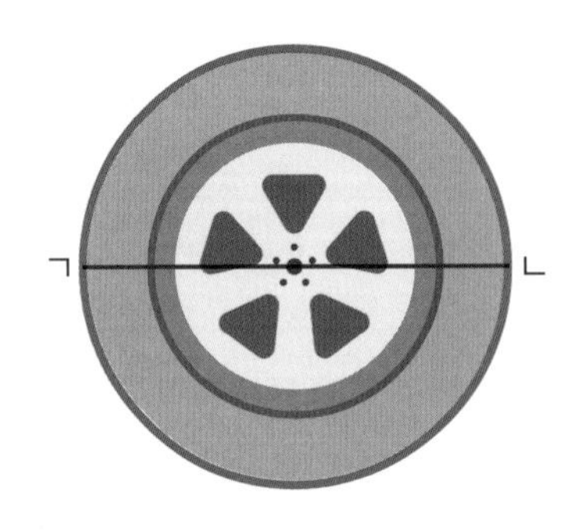

원의 중심을 지나는 선분 ㄱㄴ은 원의 지름입니다.

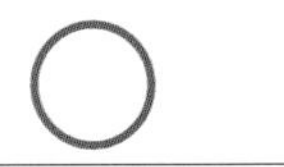

① 원의 지름이 길어져도 원주는 변하지 않습니다.

② 원주와 지름은 길이가 같습니다.

③ 원주가 짧아지면 원의 지름도 짧아집니다.

원의 둘레를
원주라고 해.

한 변의 길이가 1 cm인 정육각형, 지름이 2 cm인 원, 한 변의 길이가 2 cm인 정사각형을 보고 물음에 답하세요.

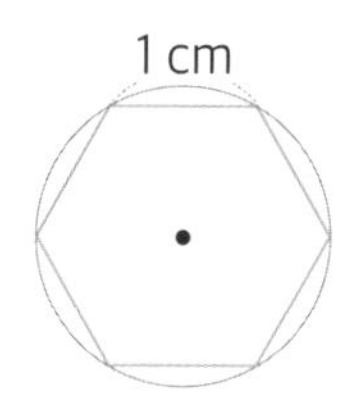

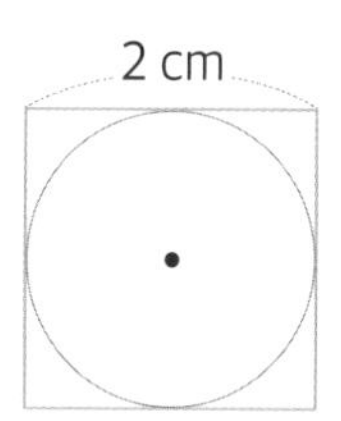

✪ 정육각형의 둘레를 수직선에 표시한 후 몇 cm인지 쓰세요.

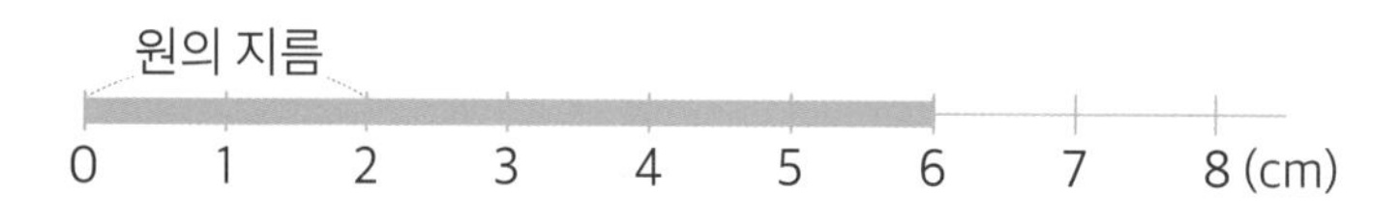

6 cm

① 정사각형의 둘레를 수직선에 표시한 후 몇 cm인지 쓰세요.

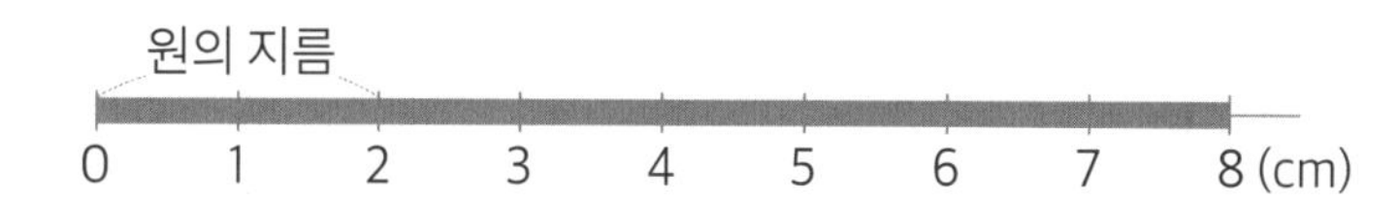

______

② 원주가 얼마쯤 될지 그림에 표시해 보세요.

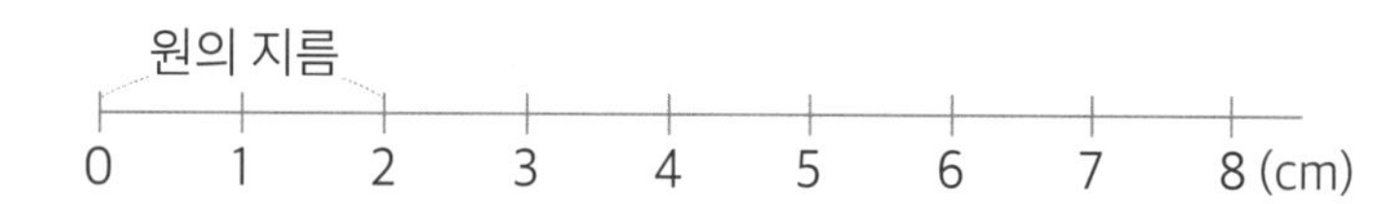

③ □ 안에 알맞은 수를 써넣으세요.

(원의 지름)×□ < (원주)

(원주) < (원의 지름)×□

2일 원주율

설명이 맞으면 ○표, 틀리면 ×표 하세요.

✪ 원의 지름에 대한 원주의 비율을 원주율이라고 합니다.

○

① 원주율을 소수로 나타내면 끝없이 계속되므로 3, 3.1, 3.14 등으로 어림해서 사용합니다.

② 원주는 지름의 약 2배입니다.

③ 지름이 길어지면 원주율도 커집니다.

④ 원의 크기가 작아져도 원주율은 변하지 않습니다.

여러 가지 물건의 원주와 지름을 재어 보았습니다. 물음에 답하세요.

가

원주: 75.4 cm
지름: 24 cm

나

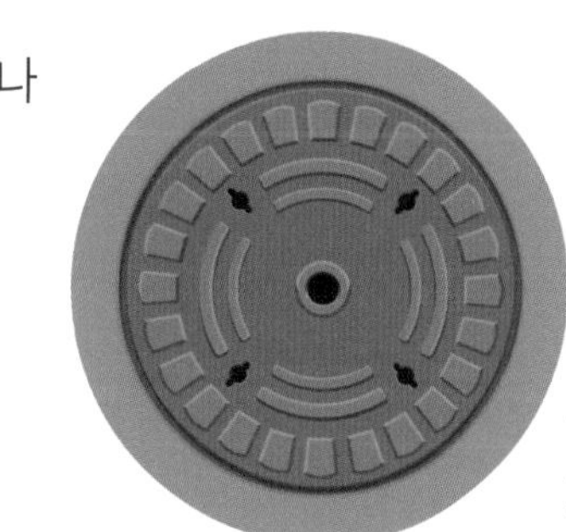

원주: 188.3 cm
지름: 60 cm

① 가에서 (원주)÷(지름)을 반올림하여 주어진 자리까지 나타내어 보세요.

반올림하여 소수 첫째 자리까지	반올림하여 소수 둘째 자리까지
3.1	

② 나에서 (원주)÷(지름)을 반올림하여 주어진 자리까지 나타내어 보세요.

반올림하여 소수 첫째 자리까지	반올림하여 소수 둘째 자리까지

③ 원주율을 어림하여 사용하는 이유를 써 보세요.

3일 원주와 지름 구하기

알맞은 식을 쓰고 답을 구하세요.

✪ 지름이 6 cm인 원의 원주는 몇 cm일까요? (원주율: 3.14)

식 : $6\times3.14=18.84$ 답 : 18.84 cm

① 지름이 8 cm인 원 모양의 시계의 원주는 몇 cm일까요? (원주율: 3.1)

식 : ______ 답 : ______

② 반지름이 5 cm인 원의 원주는 몇 cm일까요? (원주율: 3.14)

식 : ______ 답 : ______

③ 반지름이 7 cm인 원 모양의 미니 선풍기의 원주는 몇 cm일까요? (원주율: 3)

식 : ______ 답 : ______

알맞은 식을 쓰고 답을 구하세요.

원주가 12.56 cm인 원의 지름은 몇 cm일까요? (원주율: 3.14)

식 : $12.56 \div 3.14 = 4$ 답 : 4 cm

① 원주가 46.5 cm인 원의 지름은 몇 cm일까요? (원주율: 3.1)

식 : ______ 답 : ______

② 원주가 12 cm인 원의 반지름은 몇 cm일까요? (원주율: 3)

식 : ______ 답 : ______

③ 길이가 74.4 cm인 종이띠를 겹치지 않게 붙여서 원을 만들었습니다. 만들어진 원의 반지름은 몇 cm일까요? (원주율: 3.1)

식 : ______ 답 : ______

4일 원주의 활용

물음에 답하세요.

✪ 원의 크기가 큰 순서대로 기호를 써 보세요. (원주율: 3)

㉠ 지름이 8 cm인 원
㉡ 반지름이 3 cm인 원
㉢ 원주가 23 cm인 원

(㉠의 원주) = 8 × 3 = 24 (cm), (㉡의 원주) = 3 × 2 × 3 = 18 (cm)

답 : ㉠, ㉢, ㉡

① 원의 크기가 큰 순서대로 기호를 써 보세요. (원주율: 3.1)

㉠ 지름이 17 cm인 원
㉡ 반지름이 9 cm인 원
㉢ 원주가 49.6 cm인 원

답 : ________________

② 가장 큰 원과 가장 작은 원의 지름의 차는 몇 cm일까요? (원주율 3.14)

㉠ 반지름이 6 cm인 원
㉡ 지름이 11 cm인 원
㉢ 원주가 25.12 cm인 원

답 : ________________

알맞은 식을 쓰고 답을 구하세요.

✪ 바깥쪽 지름이 40 cm인 자전거 바퀴가 5바퀴 굴러간 거리는 몇 cm일까요? (원주율 3.1)

식 : 40×3.1×5=620　　답 : 620 cm

① 진호는 바깥쪽 지름이 100 cm인 훌라후프를 7바퀴 굴렸습니다. 훌라후프가 굴러간 거리는 몇 cm일까요? (원주율: 3.14)

식 : ______　　답 : ______

② 반지름이 14 cm인 원 모양의 타이어를 4바퀴 굴렸습니다. 타이어가 굴러간 거리는 몇 cm일까요? (원주율: 3)

식 : ______　　답 : ______

③ 반지름이 25 cm인 굴렁쇠를 10바퀴 굴렸습니다. 굴렁쇠가 굴러간 거리는 몇 cm일까요? (원주율: 3.14)

식 : ______　　답 : ______

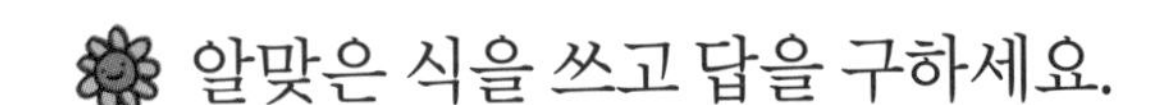

5일 도형의 둘레 구하기

알맞은 식을 쓰고 답을 구하세요.

오른쪽 반원의 둘레는 몇 cm일까요? (원주율: 3)

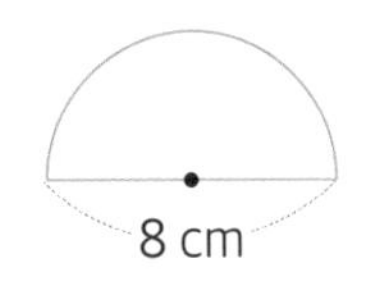

식 : 8×3÷2+8=20　답 : 20 cm

① 오른쪽 반원의 둘레는 몇 cm일까요? (원주율: 3.14)

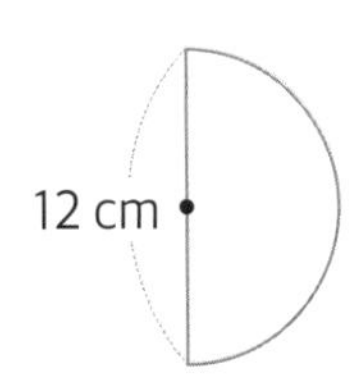

식 : ______　답 : ______

② 오른쪽 반원의 둘레는 몇 cm일까요? (원주율: 3.1)

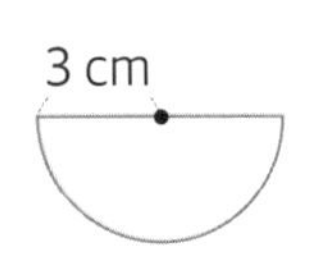

식 : ______　답 : ______

③ 오른쪽 도형의 둘레는 몇 cm일까요? (원주율: 3)

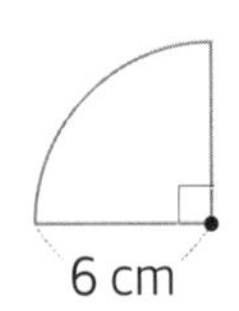

식 : ______　답 : ______

색칠한 부분의 둘레는 몇 cm인지 풀이 과정을 쓰고 답을 구하세요.

(원주율: 3)

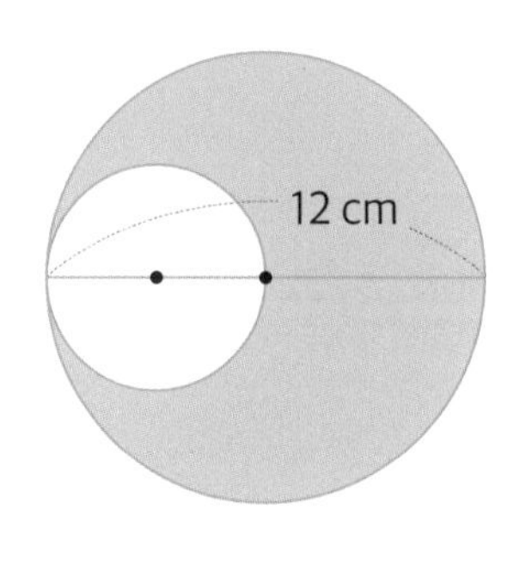

풀이 : (둘레)
=(큰 원의 원주)+(작은 원의 원주)
=12×3+6×3
=36+18=54

답 : 54 cm

① (원주율: 3.1)

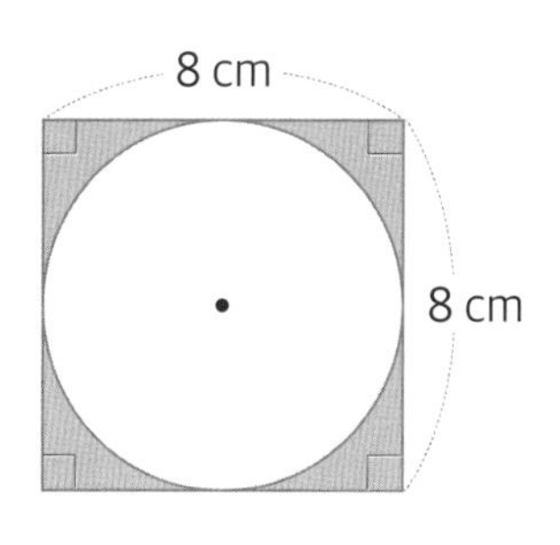

풀이 :

답 :

② (원주율: 3.14)

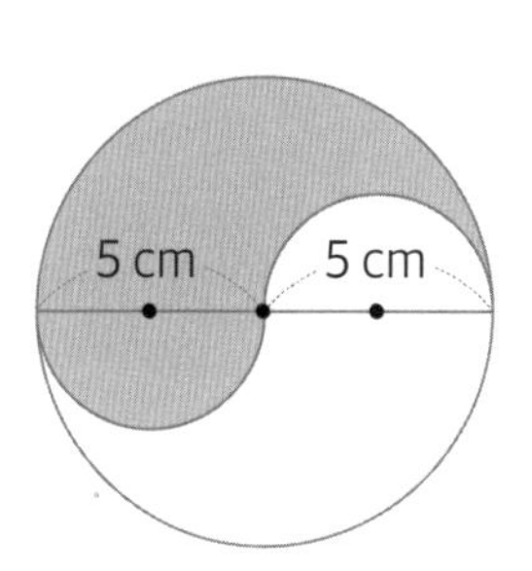

풀이 :

답 :

확인학습

알맞은 식을 쓰고 답을 구하세요.

① 지름이 9 cm인 원의 원주는 몇 cm일까요? (원주율: 3.14)

식 : ______________________ 답 : ____________

② 반지름이 3 cm인 원 모양 쟁반의 원주는 몇 cm일까요? (원주율: 3.1)

식 : ______________________ 답 : ____________

알맞은 식을 쓰고 답을 구하세요.

③ 원주가 21.7 cm인 원의 지름은 몇 cm일까요? (원주율: 3.1)

식 : ______________________ 답 : ____________

④ 길이가 30 cm인 끈을 겹치지 않게 붙여서 원을 만들었습니다. 만들어진 원의 반지름은 몇 cm일까요? (원주율: 3)

식 : ______________________ 답 : ____________

물음에 답하세요.

⑤ 원의 크기가 큰 순서대로 기호를 써 보세요. (원주율: 3)

> ㉠ 지름이 10 cm인 원
> ㉡ 반지름이 6 cm인 원
> ㉢ 원주가 32 cm인 원

답 : ______________

⑥ 가장 큰 원과 가장 작은 원의 원주의 차는 몇 cm일까요? (원주율 3.1)

> ㉠ 반지름이 3 cm인 원
> ㉡ 지름이 7 cm인 원
> ㉢ 원주가 22 cm인 원

답 : ______________

알맞은 식을 쓰고 답을 구하세요.

⑦ 바깥쪽 지름이 35 cm인 자전거 바퀴가 3바퀴 굴러간 거리는 몇 cm일까요? (원주율 3.1)

식 : ______________________________ 답 : ______________

⑧ 반지름이 17 cm인 원 모양의 타이어를 8바퀴 굴렸습니다. 타이어가 굴러간 거리는 몇 cm일까요? (원주율: 3)

식 : ______________________________ 답 : ______________

확인학습

✎ 알맞은 식을 쓰고 답을 구하세요.

⑨ 오른쪽 반원의 둘레는 몇 cm일까요? (원주율: 3.1)

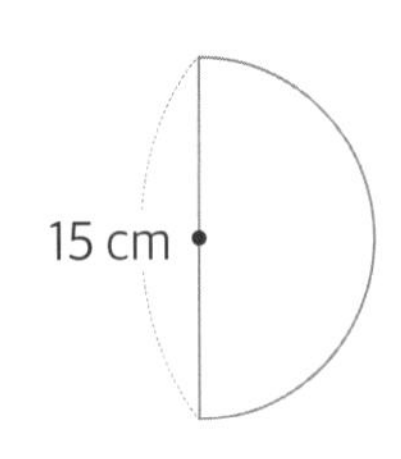

식 : ____________________ 답 : __________

⑩ 오른쪽 반원의 둘레는 몇 cm일까요? (원주율: 3.14)

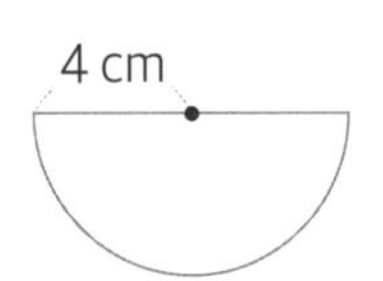

식 : ____________________ 답 : __________

✎ 색칠한 부분의 둘레는 몇 cm인지 풀이 과정을 쓰고 답을 구하세요.

⑪ (원주율: 3.1)

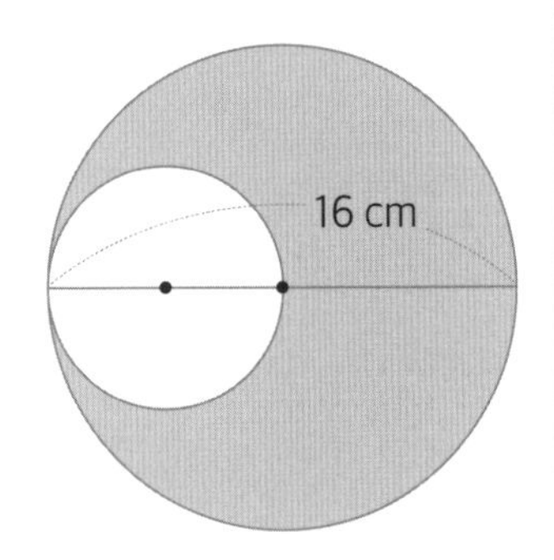

풀이 :

답 : __________

4주차

원의 넓이

1일 원의 넓이 어림하기

□ 안에 알맞은 수를 써넣으세요.

① 반지름이 10 cm인 원의 넓이를 어림해 보세요.

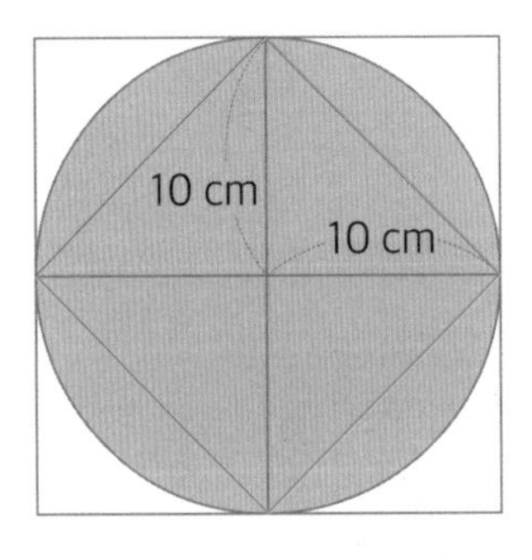

(원 안에 있는 정사각형의 넓이)= 200 cm^2

(원 밖에 있는 정사각형의 넓이)= □ cm^2

원의 넓이를 어림하면

□ cm^2 < (원의 넓이) < □ cm^2

② 한 변의 길이가 8 cm인 정사각형에 지름이 8 cm인 원을 그리고 1 cm 간격으로 모눈을 그렸습니다. 원의 넓이를 어림해 보세요.

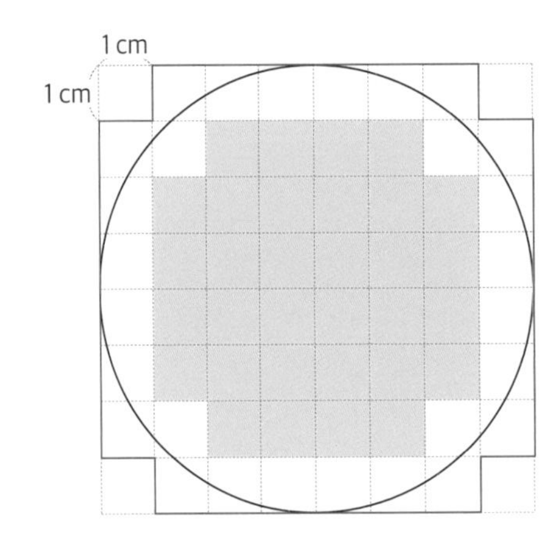

(원 안의 노란색 모눈의 수)= ☐ cm^2

(원 밖의 빨간색 선 안에 있는 모눈의 수)= ☐ cm^2

원의 넓이를 어림하면

☐ cm^2 < (원의 넓이) < ☐ cm^2

③ 삼각형 ㄱㅇㄷ의 넓이가 32 cm^2, 삼각형 ㄹㅇㅂ의 넓이가 24 cm^2일 때 원의 넓이를 어림해 보세요.

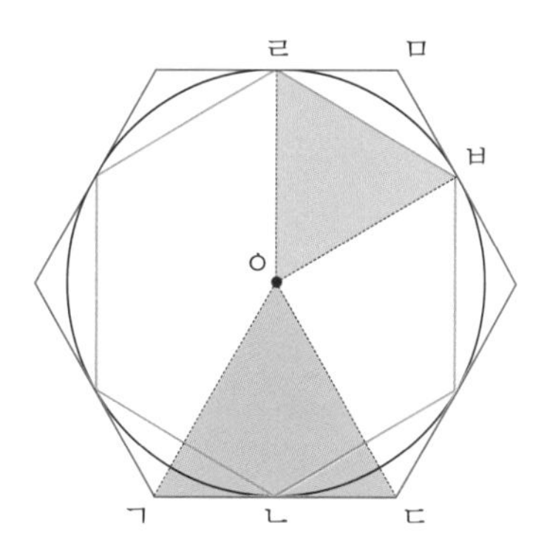

(원 안의 정육각형의 넓이)= ☐ cm^2

(원 밖의 정육각형의 넓이)= ☐ cm^2

원의 넓이를 어림하면

☐ cm^2 < (원의 넓이) < ☐ cm^2

원의 넓이 구하는 방법

원을 한없이 잘라 이어 붙여서 점점 직사각형에 가까워지는 도형으로 바꿔 보았습니다. □ 안에 알맞은 말을 보기 에서 골라 써넣으세요.

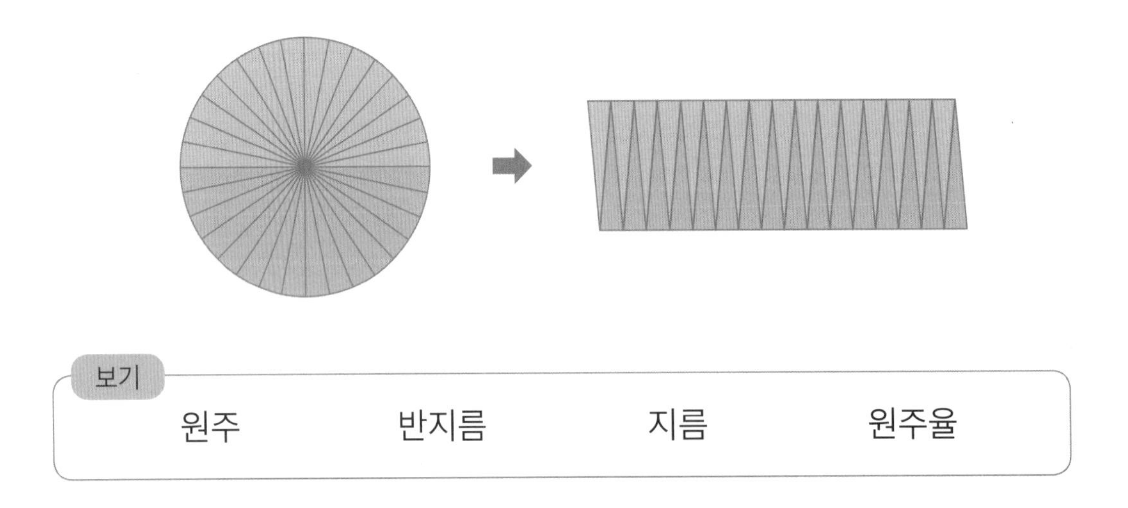

(직사각형의 세로)=(반지름)

① (직사각형의 가로)=(□)$\times\frac{1}{2}$=(원주율)×(□)$\times\frac{1}{2}$

=(원주율)×(□)

② (원의 넓이)=(직사각형의 넓이)

=(□)×(□)×(□)

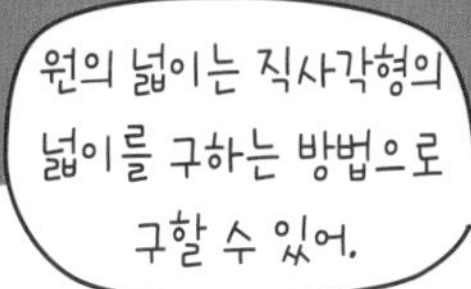

물음에 답하세요.

✪ 반지름이 7 cm인 원을 한없이 잘라 이어 붙여서 점점 직사각형에 가까워지는 도형으로 바꿔 보았습니다. 만든 도형의 가로는 몇 cm일까요? (원주율: 3)

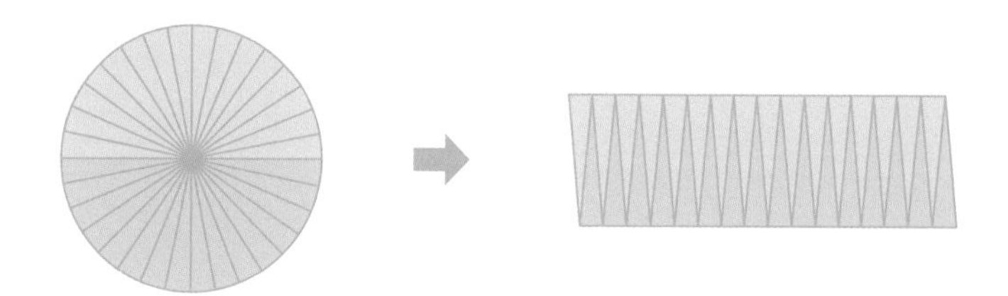

직사각형의 가로는 (원주) × $\frac{1}{2}$과 같습니다. $7 \times 2 \times 3 \times \frac{1}{2} = 21$ (cm)

답 : 21 cm

① 지름이 10 cm인 원을 한없이 잘라 이어 붙여서 점점 직사각형에 가까워지는 도형으로 바꿔 보았습니다. 만든 도형의 가로는 몇 cm일까요? (원주율: 3.14)

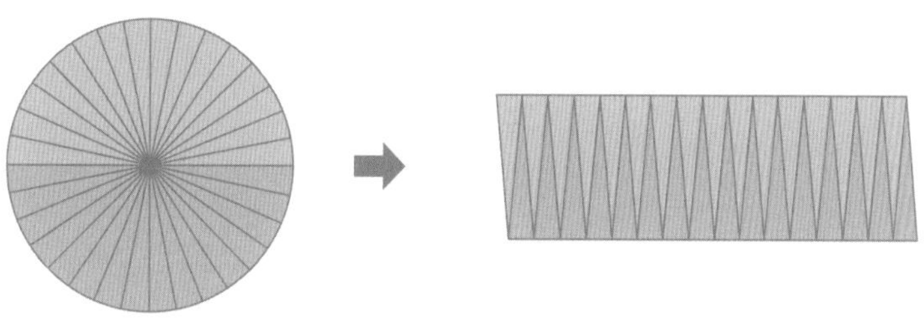

답 :

② 반지름이 4 cm인 원을 한없이 잘라 이어 붙여서 점점 직사각형에 가까워지는 도형으로 바꿔 보았습니다. 만든 도형의 넓이는 몇 cm^2일까요? (원주율: 3)

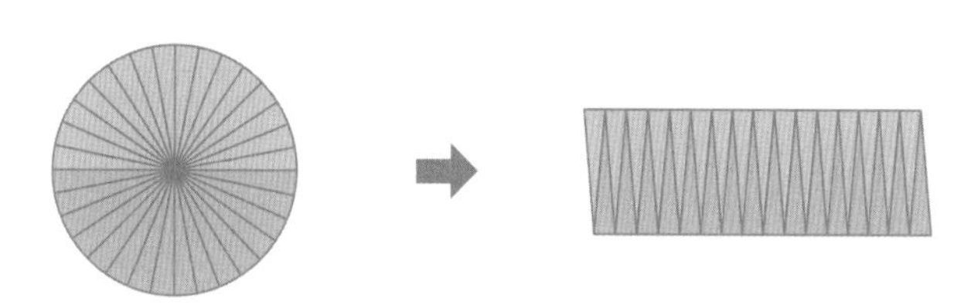

답 :

3일 원의 넓이 구하기

알맞은 식을 쓰고 답을 구하세요.

✪ 반지름이 5 cm인 원의 넓이는 몇 cm^2일까요? (원주율: 3.1)

식 : $5\times5\times3.1=77.5$　　답 : 77.5 cm^2

① 반지름이 6 cm인 원 모양의 빵의 넓이는 몇 cm^2일까요? (원주율: 3.14)

식 : ________________　　답 : ________

② 지름이 14 cm인 원의 넓이는 몇 cm^2일까요? (원주율: 3)

식 : ________________　　답 : ________

③ 지름이 40 cm인 원 모양의 타이어의 넓이는 몇 cm^2일까요? (원주율: 3.1)

식 : ________________　　답 : ________

풀이 과정을 쓰고 답을 구하세요.

넓이가 198.4 cm^2인 원의 반지름은 몇 cm일까요? (원주율: 3.1)

풀이 : 원의 반지름을 □ cm라 하면
□×□×3.1=198.4, □×□=64
8×8=64이므로 □=8

답 : 8 cm

① 넓이가 147 cm^2인 원 모양의 거울의 반지름은 몇 cm일까요? (원주율: 3)

풀이 :

답 :

② 넓이가 28.26 cm^2인 원의 지름은 몇 cm일까요? (원주율: 3.14)

풀이 :

답 :

4일 원의 넓이의 활용

풀이 과정을 쓰고 답을 구하세요.

원주가 24 cm인 원의 넓이는 몇 cm^2일까요? (원주율: 3)

풀이 : (원의 지름)=24÷3=8
원의 반지름은 8÷2=4이므로
(원의 넓이)=4×4×3=48

답 : 48 cm^2

① 길이가 50.24 cm인 철사를 남기거나 겹치는 부분 없이 모두 사용하여 원을 만들었습니다. 만든 원의 넓이는 몇 cm^2일까요? (원주율: 3.14)

풀이 :

답 :

② 넓이가 27.9 cm^2인 원의 원주는 몇 cm일까요? (원주율: 3.1)

풀이 :

답 :

물음에 답하세요.

✪ 원의 크기가 큰 순서대로 기호를 써 보세요. (원주율: 3)

㉠ 지름이 10 cm인 원 ㉡ 넓이가 48 cm^2인 원 ㉢ 원주가 36 cm인 원

(㉠의 넓이) = 5 × 5 × 3 = 75 (cm^2)

(㉢의 지름) = 36 ÷ 3 = 12 (cm), (㉢의 넓이) = 6 × 6 × 3 = 108 (cm^2)

답 : ㉢, ㉠, ㉡

① 원의 크기가 큰 순서대로 기호를 써 보세요. (원주율: 3.14)

㉠ 반지름이 12 cm인 원 ㉡ 원주가 62.8 cm인 원 ㉢ 넓이가 254.34 cm^2인 원

답 :

② 가장 큰 원과 가장 작은 원의 넓이의 차는 몇 cm^2일까요? (원주율: 3.1)

㉠ 반지름이 4 cm인 원 ㉡ 원주가 43.4 cm인 원 ㉢ 지름이 10 cm인 원

답 :

5일 여러 가지 도형의 넓이 구하기

색칠한 부분의 넓이는 몇 cm^2인지 풀이 과정을 쓰고 답을 구하세요.

(원주율: 3)

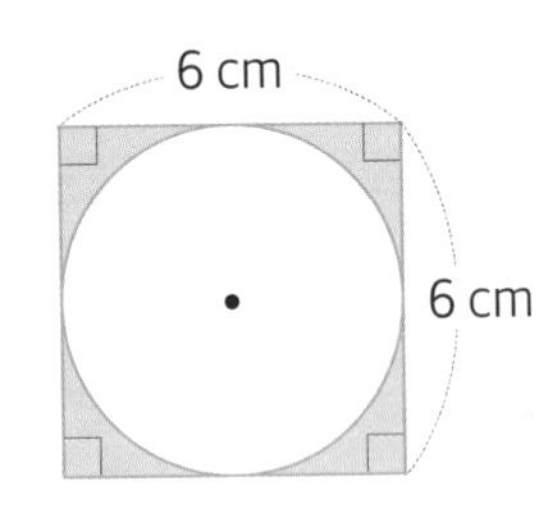

풀이 : (색칠한 부분의 넓이)
=(정사각형의 넓이)-(원의 넓이)
=6×6-3×3×3
=36-27=9(cm^2)

답 : 9 cm^2

① (원주율: 3.1)

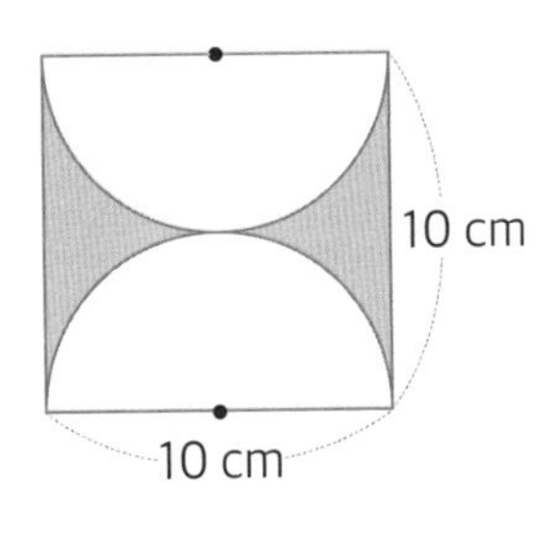

풀이 :

답 :

② (원주율: 3.1)

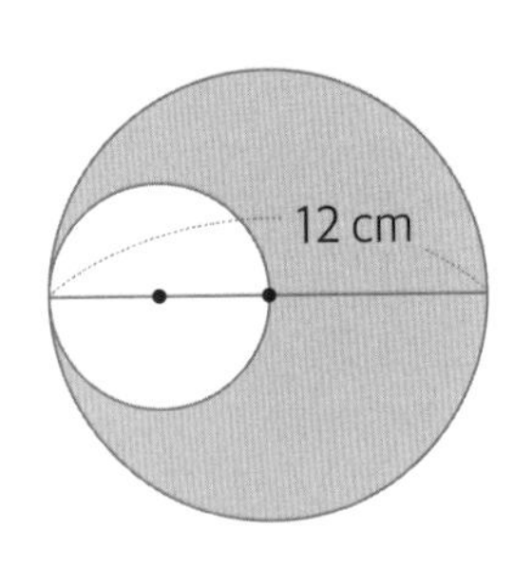

풀이 :

답 :

③ (원주율: 3)

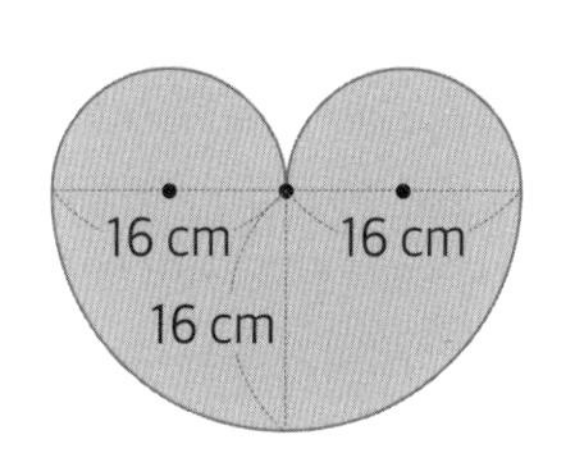

풀이 :

답 : ____________________

④ (원주율: 3.1)

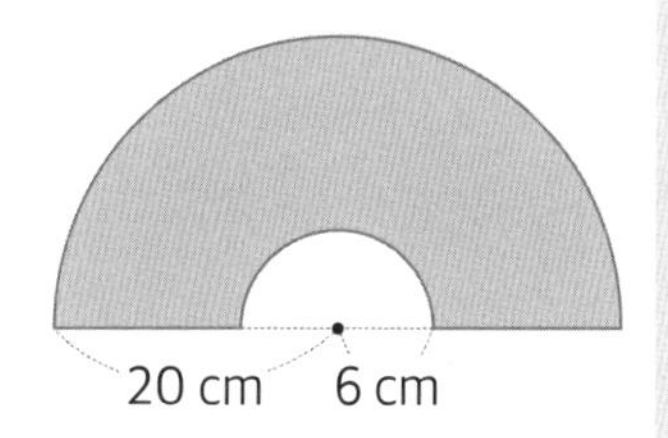

풀이 :

답 : ____________________

⑤ (원주율: 3.14)

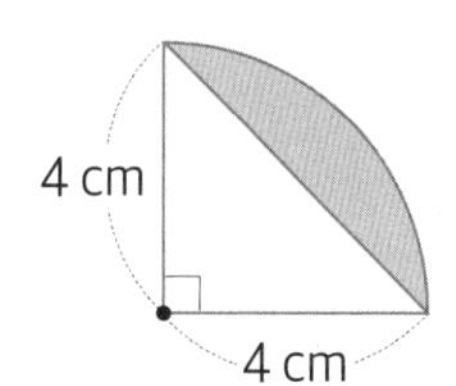

풀이 :

답 : ____________________

확인학습

알맞은 식을 쓰고 답을 구하세요.

① 반지름이 3 cm인 원의 넓이는 몇 cm^2일까요? (원주율: 3.14)

식 : ______________________ 답 : __________

② 지름이 36 cm인 원 모양의 자전거 바퀴의 넓이는 몇 cm^2일까요? (원주율: 3)

식 : ______________________ 답 : __________

풀이 과정을 쓰고 답을 구하세요.

③ 넓이가 49.6 cm^2인 원의 반지름은 몇 cm일까요? (원주율: 3.1)

풀이 :

답 : __________

④ 넓이가 113.04 cm^2인 원의 지름은 몇 cm일까요? (원주율: 3.14)

풀이 :

답 : __________

풀이 과정을 쓰고 답을 구하세요.

⑤ 원주가 30 cm인 원의 넓이는 몇 cm^2일까요? (원주율: 3)

풀이 :

답 : ______________

⑥ 넓이가 151.9 cm^2인 원의 원주는 몇 cm일까요? (원주율: 3.1)

풀이 :

답 : ______________

물음에 답하세요.

⑦ 원의 크기가 큰 순서대로 기호를 써 보세요. (원주율: 3)

㉠ 지름이 8 cm인 원
㉡ 넓이가 75 cm^2인 원
㉢ 원주가 18 cm인 원

답 : ______________

확인학습

색칠한 부분의 넓이는 몇 cm²인지 풀이 과정을 쓰고 답을 구하세요.

⑧ (원주율: 3.1)

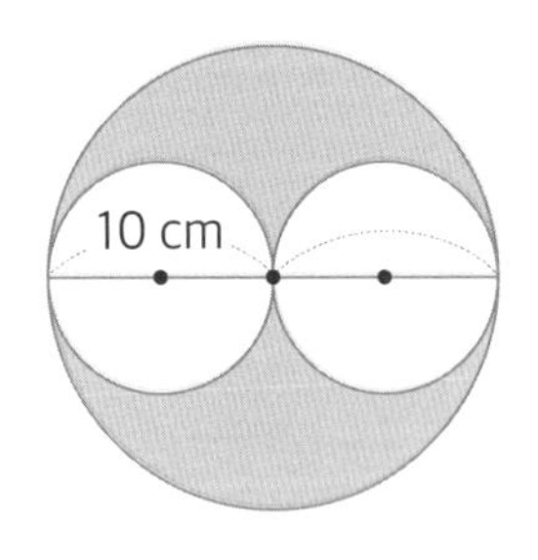

풀이 :

답 : ____________

⑨ (원주율: 3.14)

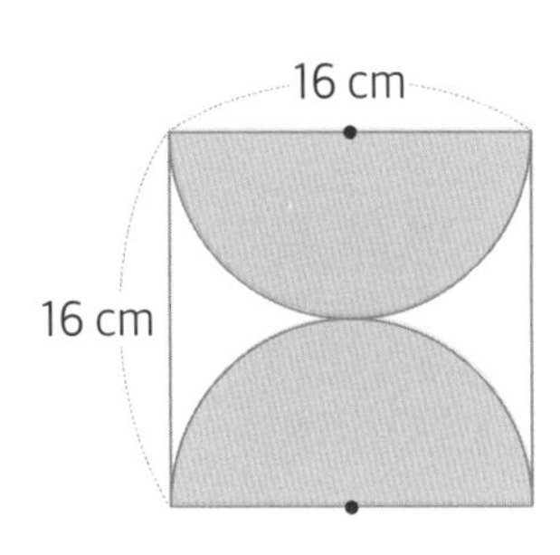

풀이 :

답 : ____________

⑩ (원주율: 3)

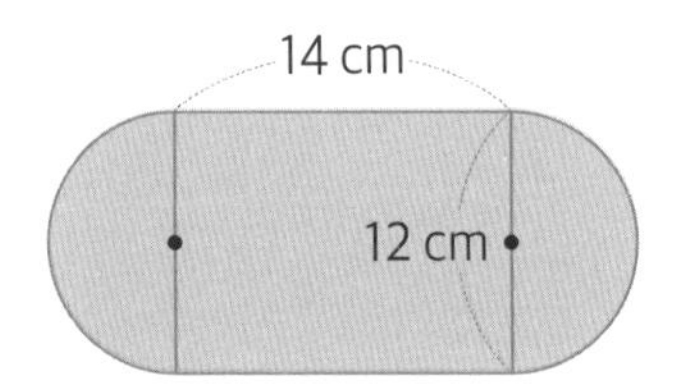

풀이 :

답 : ____________

진단평가

진단평가에는 앞에서 학습한 4주차의 문장제 활동이 순서대로 나옵니다. 잘못 푼 문제가 있으면 몇 주차인지 확인하여 반드시 한 번 더 복습해 봅니다.

1주차	3주차
2주차	4주차

1회차

진단평가

알맞은 식을 쓰고 답을 구하세요.

① 가로가 7 cm, 세로가 4 cm, 높이가 5cm인 직육면체 모양 떡의 부피는 몇 cm^3일까요?

식 : ______________________ 답 : __________

② 가로가 12 cm, 세로가 8 cm, 높이가 7 cm인 직육면체 모양 과자 상자의 부피는 몇 cm^3일까요?

식 : ______________________ 답 : __________

알맞은 식을 쓰고 답을 구하세요.

③ 가로가 5 cm, 세로가 6 cm, 높이가 9 cm인 직육면체의 겉넓이는 몇 cm^2일까요?

식 : ______________________ 답 : __________

④ 가로가 10 cm, 세로가 9 cm, 높이가 12 cm인 직육면체 모양 선물 상자의 겉넓이는 몇 cm^2일까요?

식 : ______________________ 답 : __________

월 일
제한 시간 15분
맞은 개수 / 8개

알맞은 식을 쓰고 답을 구하세요.

⑤ 지름이 11 cm인 원 모양 접시의 원주는 몇 cm일까요? (원주율: 3)

식 : ______________________ 답 : ____________

⑥ 반지름이 7 cm인 원의 원주는 몇 cm일까요? (원주율: 3.1)

식 : ______________________ 답 : ____________

알맞은 식을 쓰고 답을 구하세요.

⑦ 반지름이 9 cm인 원 모양 빵의 넓이는 몇 cm^2일까요? (원주율: 3.14)

식 : ______________________ 답 : ____________

⑧ 지름이 16 cm인 원의 넓이는 몇 cm^2일까요? (원주율: 3.1)

식 : ______________________ 답 : ____________

2회차 진단평가

알맞은 식을 쓰고 답을 구하세요.

① 한 모서리의 길이가 5 cm인 정육면체의 부피는 몇 cm^3일까요?

식 : ____________________ 답 : __________

② 한 모서리의 길이가 8 cm인 정육면체 모양 선물 상자가 있습니다. 이 선물 상자의 부피는 몇 cm^3일까요?

식 : ____________________ 답 : __________

알맞은 식을 쓰고 답을 구하세요.

③ 한 모서리의 길이가 4 cm인 정육면체의 겉넓이는 몇 cm^2일까요?

식 : ____________________ 답 : __________

④ 한 면의 넓이가 49 cm^2인 정육면체의 겉넓이는 몇 cm^2일까요?

식 : ____________________ 답 : __________

알맞은 식을 쓰고 답을 구하세요.

⑤ 원주가 12.56 cm인 원의 지름은 몇 cm일까요? (원주율: 3.14)

식 : ______________________ 답 : ____________

⑥ 길이가 37.2 cm인 종이띠를 겹치지 않게 붙여서 원을 만들었습니다. 만들어진 원의 반지름은 몇 cm일까요? (원주율: 3.1)

식 : ______________________ 답 : ____________

풀이 과정을 쓰고 답을 구하세요.

⑦ 넓이가 78.5 cm^2인 원 모양의 접시의 반지름은 몇 cm일까요? (원주율: 3.14)

풀이 :

답 : ____________

⑧ 넓이가 363 cm^2인 원의 지름은 몇 cm일까요? (원주율: 3)

풀이 :

답 : ____________

3회차

진단평가

풀이 과정을 쓰고 답을 구하세요.

① 부피가 112 cm^3이고 밑면이 정사각형인 직육면체가 있습니다. 이 직육면체의 높이가 7 cm일 때 밑면의 한 변의 길이는 몇 cm일까요?

풀이 :

답 : ______________

풀이 과정을 쓰고 답을 구하세요.

② 겉넓이가 202 cm^2인 직육면체가 있습니다. 이 직육면체의 가로가 8 cm, 세로가 3 cm라면 높이는 몇 cm일까요?

풀이 :

답 : ______________

③ 정육면체의 겉넓이가 384 cm^2일 때 한 모서리의 길이는 몇 cm일까요?

풀이 :

답 : ______________

월 일

제한 시간 15분

맞은 개수 / 7개

알맞은 식을 쓰고 답을 구하세요.

④ 현지는 바깥쪽 지름이 120 cm인 훌라후프를 4바퀴 굴렸습니다. 훌라후프가 굴러간 거리는 몇 cm일까요? (원주율: 3.1)

식 : ______________________ 답 : ______________

⑤ 반지름이 15 cm인 굴렁쇠를 5바퀴 굴렸습니다. 굴렁쇠가 굴러간 거리는 몇 cm일까요? (원주율: 3.14)

식 : ______________________ 답 : ______________

풀이 과정을 쓰고 답을 구하세요.

⑥ 길이가 62 cm인 끈을 남기거나 겹치는 부분 없이 모두 사용하여 원을 만들었습니다. 만든 원의 넓이는 몇 cm^2일까요? (원주율: 3.1)

풀이 :

답 : ______________

⑦ 넓이가 111.6 cm^2인 원의 원주는 몇 cm일까요? (원주율: 3.1)

풀이 :

답 : ______________

4회차 진단평가

입체도형의 부피는 몇 cm^3인지 풀이 과정을 쓰고 답을 구하세요.

①

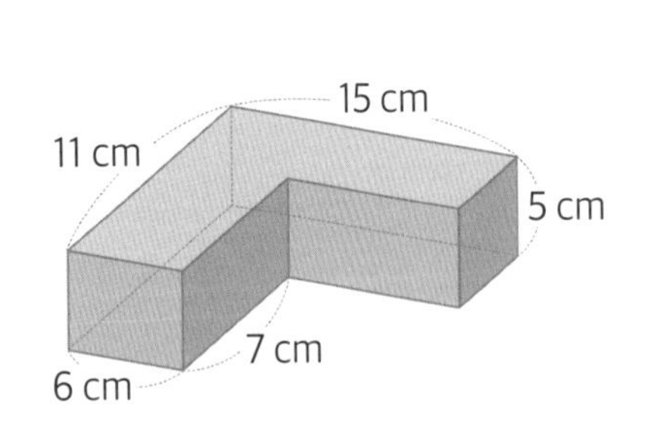

풀이 :

답 : ____________

②

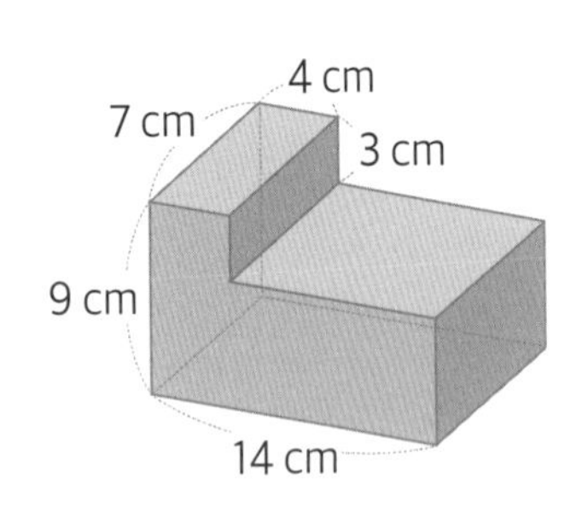

풀이 :

답 : ____________

알맞은 식을 쓰고 답을 구하세요.

③ 나무 도막을 똑같이 2조각으로 잘랐습니다. 자른 나무 도막 2조각의 겉넓이는 처음 나무 도막의 겉넓이보다 몇 cm^2 더 늘어났을까요?

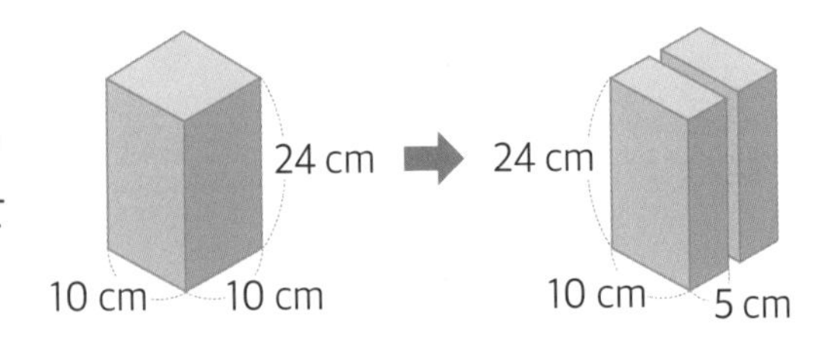

식 : ____________________ 답 : ____________

물음에 답하세요.

④ 원의 크기가 큰 순서대로 기호를 써 보세요. (원주율: 3.1)

㉠ 지름이 13 cm인 원
㉡ 반지름이 7 cm인 원
㉢ 원주가 46 cm인 원

답 : ______________

색칠한 부분의 넓이는 몇 cm^2인지 풀이 과정을 쓰고 답을 구하세요.

⑤ (원주율: 3)

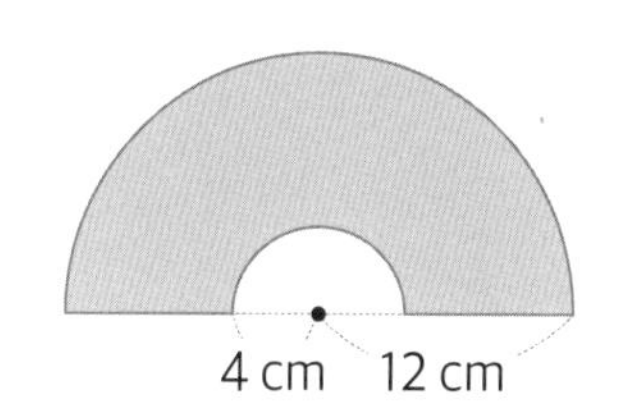

풀이 :

답 : ______________

⑥ (원주율: 3.1)

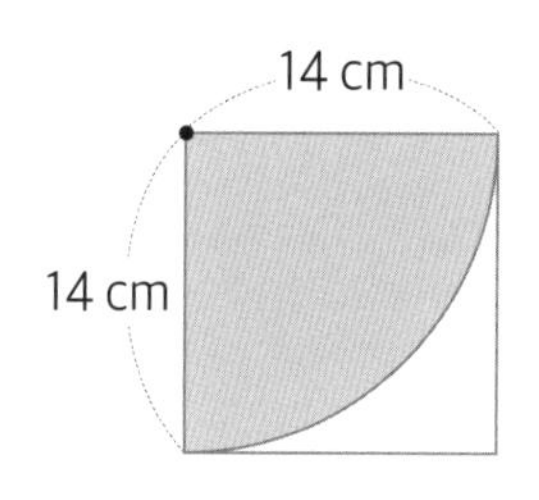

풀이 :

답 : ______________

5회차 # 진단평가

물음에 답하세요.

① 직육면체의 부피는 몇 m^3일까요?

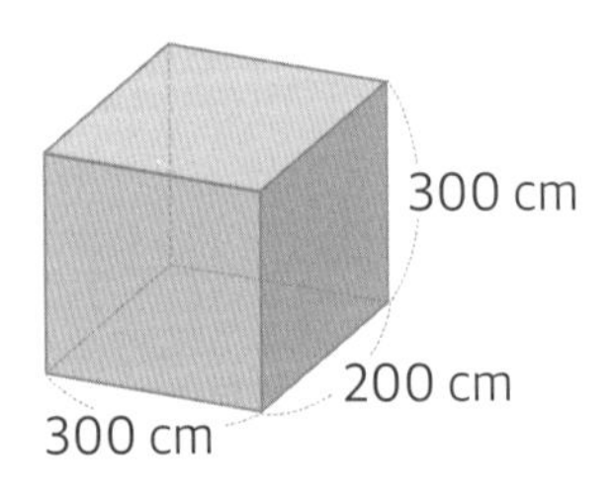

답 : ____________

② 직육면체의 부피는 몇 m^3일까요?

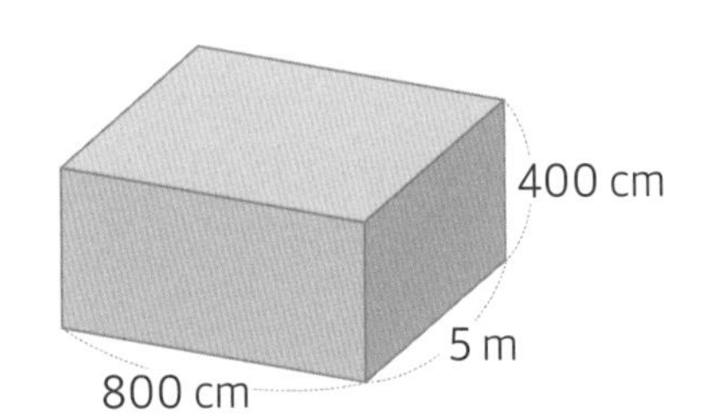

답 : ____________

풀이 과정을 쓰고 답을 구하세요.

③ 가로가 5 cm, 세로가 4 cm인 직육면체의 부피가 120 cm^3일 때, 겉넓이는 몇 cm^2 일까요?

풀이 :

답 : ____________

월 일
제한 시간 15분
맞은 개수 / 6개

색칠한 부분의 둘레는 몇 cm인지 풀이 과정을 쓰고 답을 구하세요.

④ (원주율: 3)

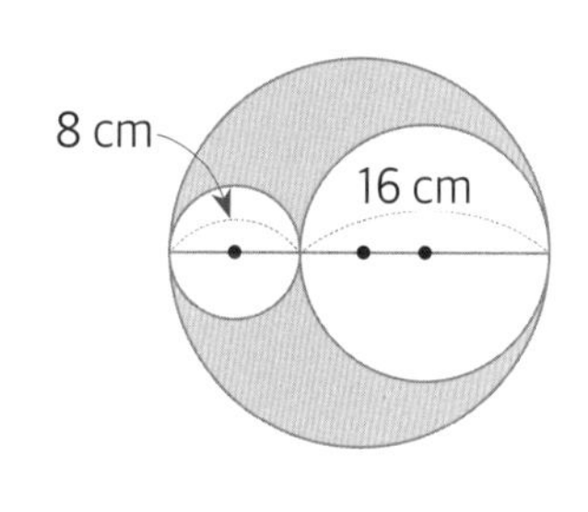

풀이 :

답 :

⑤ (원주율: 3.14)

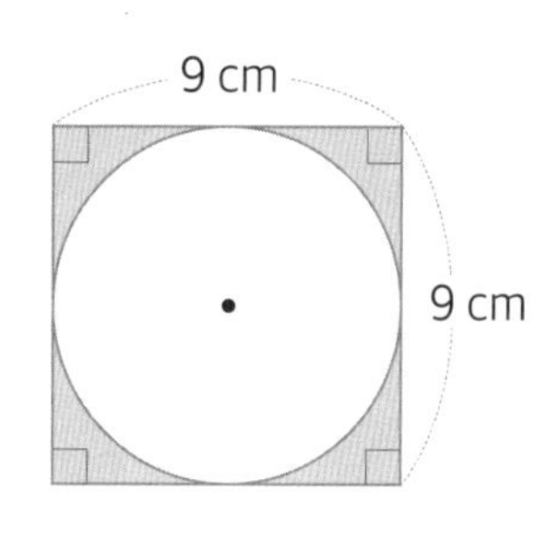

풀이 :

답 :

물음에 답하세요.

⑥ 원의 크기가 큰 순서대로 기호를 써 보세요. (원주율: 3.1)

㉠ 반지름이 9 cm인 원
㉡ 원주가 49.6 cm인 원
㉢ 넓이가 151.9 cm^2인 원

답 :

Memo

하루 10분 서술형/문장제 학습지

씨투엠

수학 독해

정답

F3

직육면체와 원

초6

정답

F3 직육면체와 원

초6

P 06 ~ 07

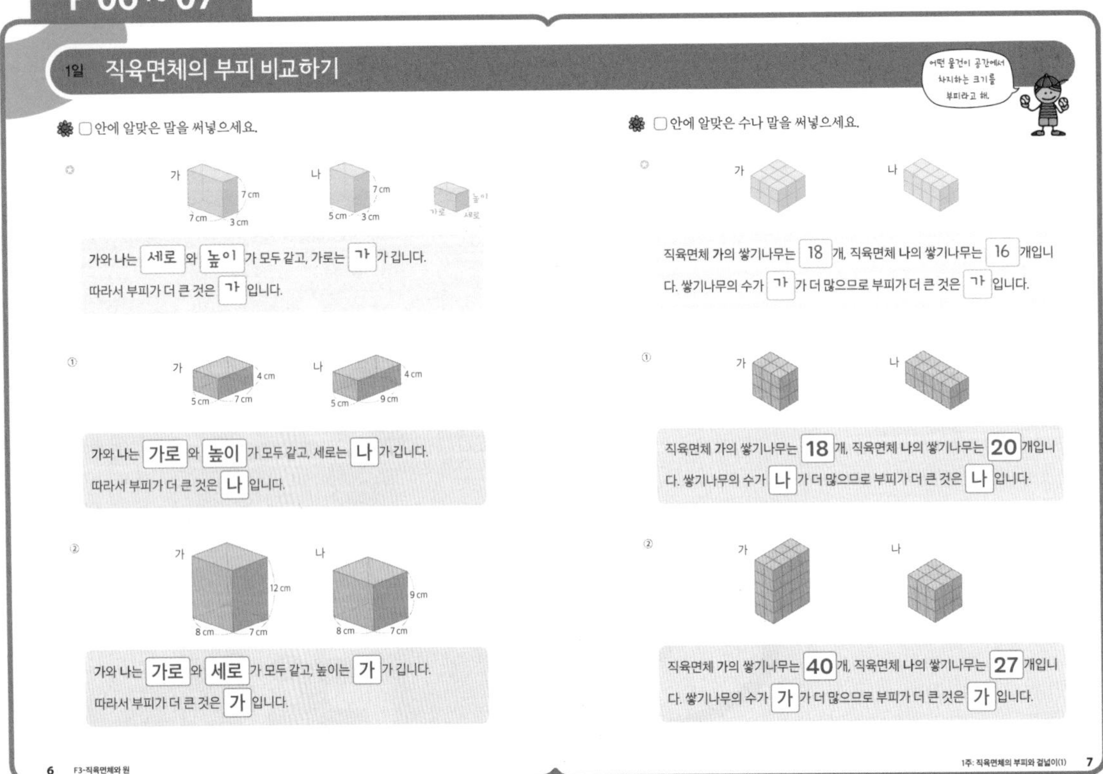

1일 직육면체의 부피 비교하기

어떤 물건이 공간에서 차지하는 크기를 부피라고 해.

□ 안에 알맞은 말을 써넣으세요.

가와 나는 세로 와 높이 가 모두 같고, 가로는 가 가 깁니다.
따라서 부피가 더 큰 것은 가 입니다.

① 가와 나는 가로 와 높이 가 모두 같고, 세로는 나 가 깁니다.
따라서 부피가 더 큰 것은 나 입니다.

② 가와 나는 가로 와 세로 가 모두 같고, 높이는 가 가 깁니다.
따라서 부피가 더 큰 것은 가 입니다.

□ 안에 알맞은 수나 말을 써넣으세요.

직육면체 가의 쌓기나무는 18 개, 직육면체 나의 쌓기나무는 16 개입니다. 쌓기나무의 수가 가 가 더 많으므로 부피가 더 큰 것은 가 입니다.

① 직육면체 가의 쌓기나무는 18 개, 직육면체 나의 쌓기나무는 20 개입니다. 쌓기나무의 수가 나 가 더 많으므로 부피가 더 큰 것은 나 입니다.

② 직육면체 가의 쌓기나무는 40 개, 직육면체 나의 쌓기나무는 27 개입니다. 쌓기나무의 수가 가 가 더 많으므로 부피가 더 큰 것은 가 입니다.

6 F3-직육면체와 원 / 1주: 직육면체의 부피와 겉넓이(1) 7

P 08 ~ 09

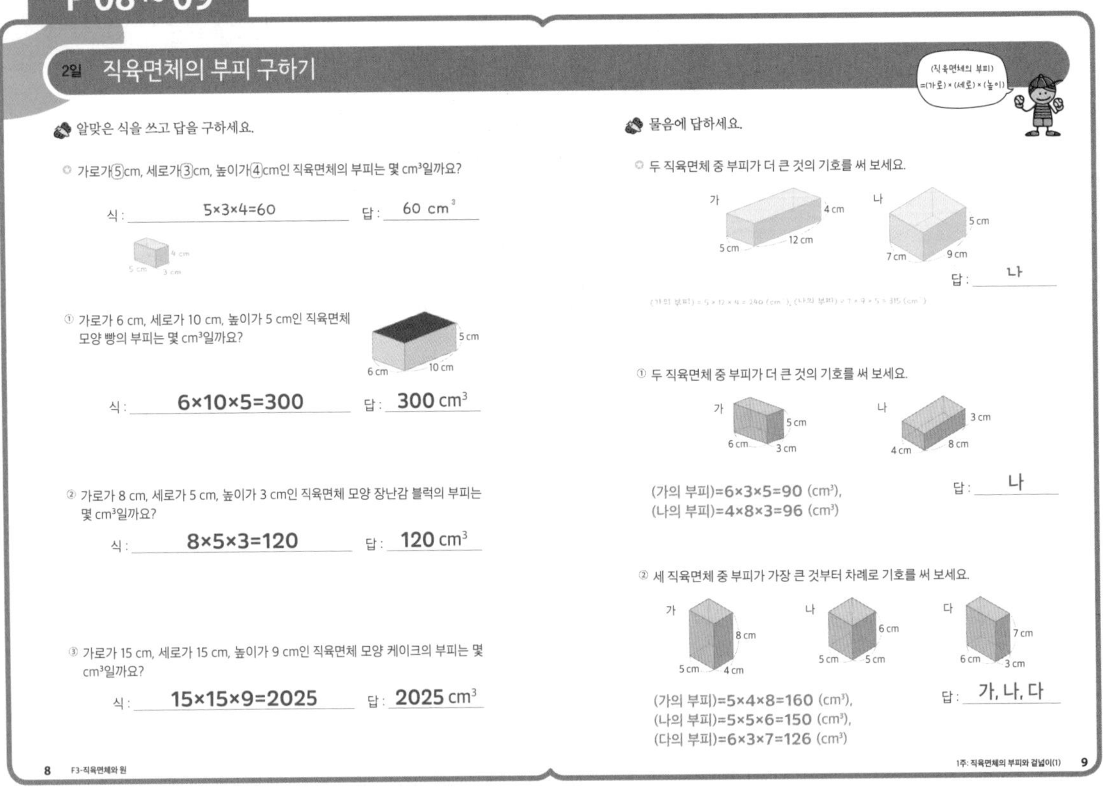

2일 직육면체의 부피 구하기

(직육면체의 부피) = (가로) × (세로) × (높이)

알맞은 식을 쓰고 답을 구하세요.

가로가 5cm, 세로가 3cm, 높이가 4cm인 직육면체의 부피는 몇 cm^3일까요?

식 : 5×3×4=60 답 : 60 cm^3

① 가로가 6 cm, 세로가 10 cm, 높이가 5 cm인 직육면체 모양 빵의 부피는 몇 cm^3일까요?

식 : 6×10×5=300 답 : 300 cm^3

② 가로가 8 cm, 세로가 5 cm, 높이가 3 cm인 직육면체 모양 장난감 블럭의 부피는 몇 cm^3일까요?

식 : 8×5×3=120 답 : 120 cm^3

③ 가로가 15 cm, 세로가 15 cm, 높이가 9 cm인 직육면체 모양 케이크의 부피는 몇 cm^3일까요?

식 : 15×15×9=2025 답 : 2025 cm^3

물음에 답하세요.

두 직육면체 중 부피가 더 큰 것의 기호를 써 보세요.

답 : 나

(가의 부피) = 5×12×4 = 240 (cm^3), (나의 부피) = 7×9×5 = 315 (cm^3)

① 두 직육면체 중 부피가 더 큰 것의 기호를 써 보세요.

(가의 부피)=6×3×5=90 (cm^3),
(나의 부피)=4×8×3=96 (cm^3)

답 : 나

② 세 직육면체 중 부피가 가장 큰 것부터 차례로 기호를 써 보세요.

(가의 부피)=5×4×8=160 (cm^3),
(나의 부피)=5×5×6=150 (cm^3),
(다의 부피)=6×3×7=126 (cm^3)

답 : 가, 나, 다

8 F3-직육면체와 원 / 1주: 직육면체의 부피와 겉넓이(1) 9

P 10 ~ 11

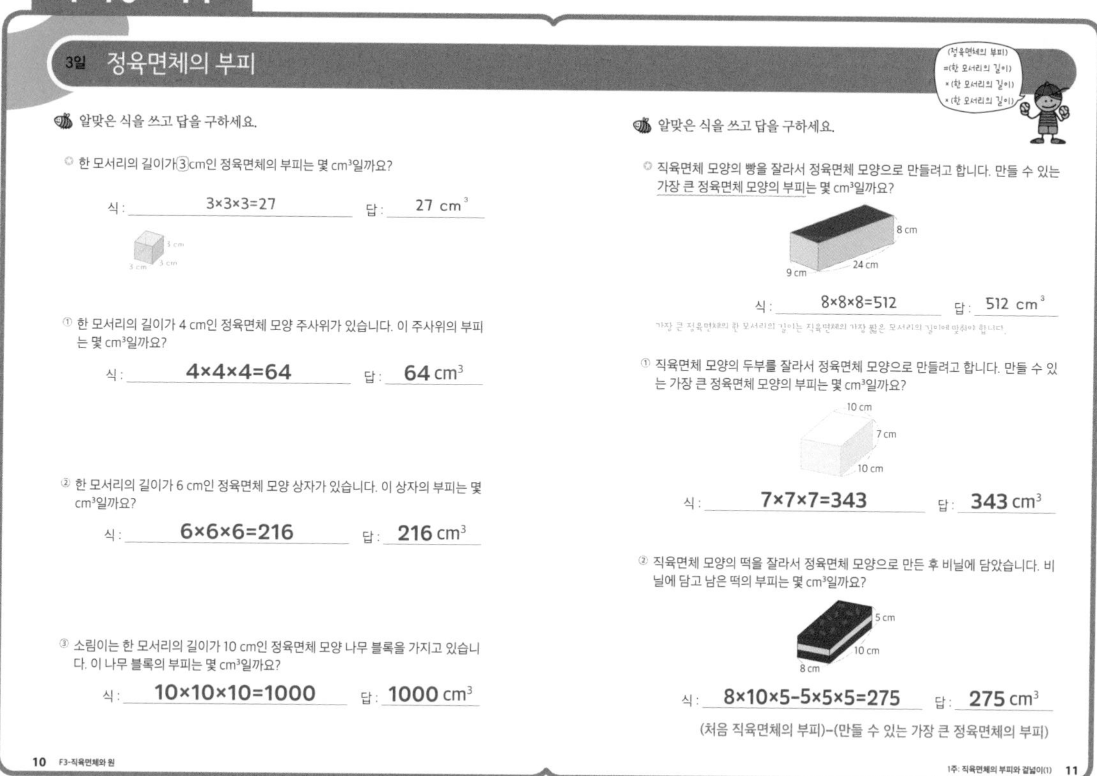

3일 정육면체의 부피

알맞은 식을 쓰고 답을 구하세요.

◎ 한 모서리의 길이가 3 cm인 정육면체의 부피는 몇 cm^3일까요?

식 : 3×3×3=27 답 : 27 cm^3

① 한 모서리의 길이가 4 cm인 정육면체 모양 주사위가 있습니다. 이 주사위의 부피는 몇 cm^3일까요?

식 : 4×4×4=64 답 : 64 cm^3

② 한 모서리의 길이가 6 cm인 정육면체 모양 상자가 있습니다. 이 상자의 부피는 몇 cm^3일까요?

식 : 6×6×6=216 답 : 216 cm^3

③ 소림이는 한 모서리의 길이가 10 cm인 정육면체 모양 나무 블록을 가지고 있습니다. 이 나무 블록의 부피는 몇 cm^3일까요?

식 : 10×10×10=1000 답 : 1000 cm^3

알맞은 식을 쓰고 답을 구하세요.

◎ 직육면체 모양의 빵을 잘라서 정육면체 모양으로 만들려고 합니다. 만들 수 있는 가장 큰 정육면체 모양의 부피는 몇 cm^3일까요?

식 : 8×8×8=512 답 : 512 cm^3

가장 큰 정육면체의 한 모서리의 길이는 직육면체의 가장 짧은 모서리의 길이에 맞춰야 합니다.

① 직육면체 모양의 두부를 잘라서 정육면체 모양으로 만들려고 합니다. 만들 수 있는 가장 큰 정육면체 모양의 부피는 몇 cm^3일까요?

식 : 7×7×7=343 답 : 343 cm^3

② 직육면체 모양의 떡을 잘라서 정육면체 모양으로 만든 후 비닐에 담았습니다. 비닐에 담고 남은 떡의 부피는 몇 cm^3일까요?

식 : 8×10×5−5×5×5=275 답 : 275 cm^3

(처음 직육면체의 부피)−(만들 수 있는 가장 큰 정육면체의 부피)

10 F3-직육면체와 원 / 1주: 직육면체의 부피와 겉넓이(1) 11

P 12 ~ 13

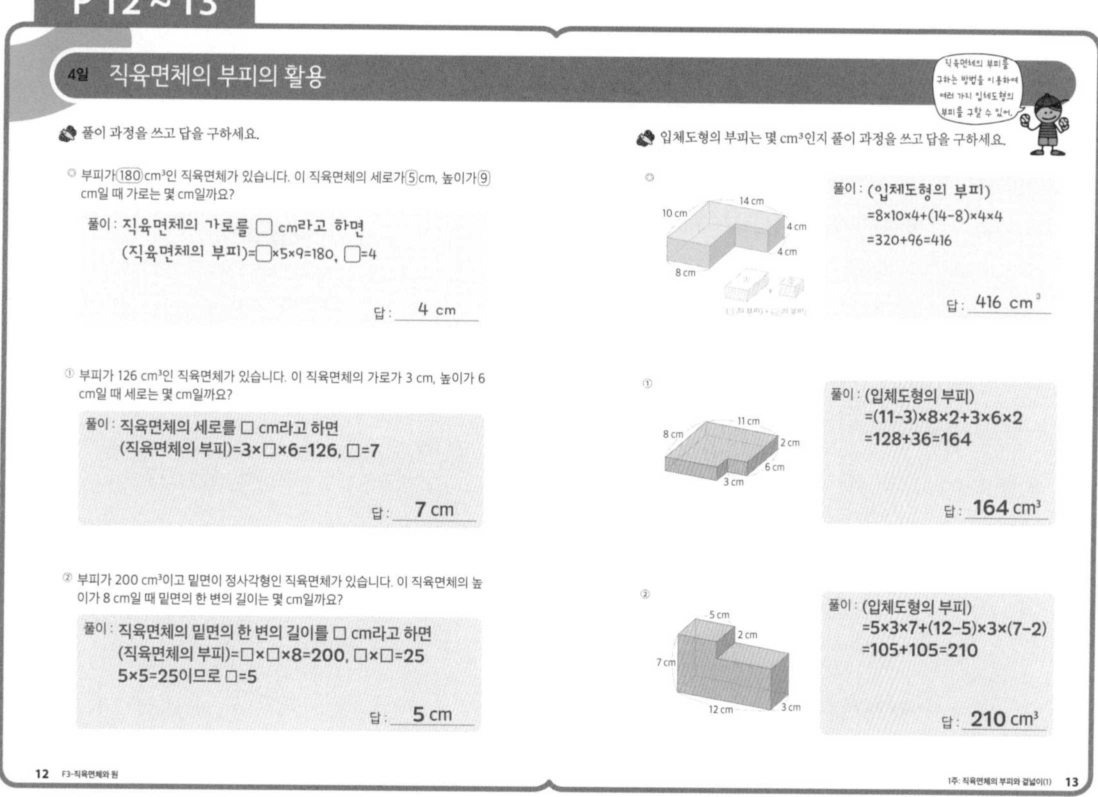

4일 직육면체의 부피의 활용

풀이 과정을 쓰고 답을 구하세요.

◎ 부피가 180 cm^3인 직육면체가 있습니다. 이 직육면체의 세로가 5 cm, 높이가 9 cm일 때 가로는 몇 cm일까요?

풀이 : 직육면체의 가로를 □ cm라고 하면
(직육면체의 부피)=□×5×9=180, □=4

답 : 4 cm

① 부피가 126 cm^3인 직육면체가 있습니다. 이 직육면체의 가로가 3 cm, 높이가 6 cm일 때 세로는 몇 cm일까요?

풀이 : 직육면체의 세로를 □ cm라고 하면
(직육면체의 부피)=3×□×6=126, □=7

답 : 7 cm

② 부피가 200 cm^3이고 밑면이 정사각형인 직육면체가 있습니다. 이 직육면체의 높이가 8 cm일 때 밑면의 한 변의 길이는 몇 cm일까요?

풀이 : 직육면체의 밑면의 한 변의 길이를 □ cm라고 하면
(직육면체의 부피)=□×□×8=200, □×□=25
5×5=25이므로 □=5

답 : 5 cm

입체도형의 부피는 몇 cm^3인지 풀이 과정을 쓰고 답을 구하세요.

◎

풀이 : (입체도형의 부피)
=8×10×4+(14−8)×4×4
=320+96=416

답 : 416 cm^3

①

풀이 : (입체도형의 부피)
=(11−3)×8×2+3×6×2
=128+36=164

답 : 164 cm^3

②

풀이 : (입체도형의 부피)
=5×3×7+(12−5)×3×(7−2)
=105+105=210

답 : 210 cm^3

12 F3-직육면체와 원 / 1주: 직육면체의 부피와 겉넓이(1) 13

1주 직육면체의 부피와 겉넓이(1)

P 14 ~ 15

5일 부피의 단위

큰 직육면체의 부피를 나타낼 때에는 m^3로 나타내는 것이 편리해. $1 m^3=1000000 cm^3$

❀ 물음에 답하세요.

◎ 직육면체의 부피는 몇 m^3일까요?

답 : 60 m^3

가로는 4 m, 세로는 3 m, 높이가 5 m이므로 부피는 $4\times3\times5=60$ (m^3)입니다.

① 직육면체의 부피는 몇 m^3일까요?

답 : 420 m^3

$10\times7\times6=420$ (m^3)

② 직육면체의 부피는 몇 m^3일까요?

답 : 40 m^3

가로는 2 m, 세로는 8 m, 높이가 2.5 m이므로 $2\times8\times2.5=40$ (m^3)

③ 정육면체의 부피는 몇 m^3일까요?

답 : 216 m^3

한 모서리의 길이가 6 m이므로 $6\times6\times6=216$ (m^3)

❀ 부피가 큰 순서대로 기호를 써 보세요.

◎
㉠ 4.5 m^3
㉡ 5300000 cm^3
㉢ 가로가 3 m, 세로가 2 m, 높이가 70 cm인 직육면체의 부피

㉡ 5.3 m^3, ㉢ $3\times2\times0.7=4.2$ (m^3)

답 : ㉡, ㉠, ㉢

①
㉠ 한 모서리의 길이가 4 m인 정육면체
㉡ 가로가 3 m, 세로가 4 m, 높이가 5 m인 직육면체
㉢ 가로가 700 cm, 세로가 500 cm, 높이가 200 cm인 직육면체의 부피

답 : ㉢, ㉠, ㉡

㉠ $4\times4\times4=64$ (m^3), ㉡ $3\times4\times5=60$ (m^3), ㉢ $7\times5\times2=70$ (m^3)

②
㉠ 9.4 m^3
㉡ 1400000 cm^3
㉢ 한 모서리의 길이가 250 cm인 정육면체
㉣ 가로가 2.5 m, 세로가 2 m, 높이가 40 cm인 직육면체의 부피

답 : ㉢, ㉠, ㉣, ㉡

㉡ 1.4 m^3, ㉢ $2.5\times2.5\times2.5=15.625$ (m^3), ㉣ $2.5\times2\times0.4=2$ (m^3)

14 F3-직육면체와 원 | 1주: 직육면체의 부피와 겉넓이(1) 15

P 16 ~ 17

확인학습

✎ 알맞은 식을 쓰고 답을 구하세요.

① 가로가 6 cm, 세로가 4 cm, 높이가 7 cm인 직육면체의 부피는 몇 cm^3일까요?

식 : $6\times4\times7=168$ 답 : 168 cm^3

② 가로가 3 cm, 세로가 4 cm, 높이가 2 cm인 직육면체 모양 지우개의 부피는 몇 cm^3일까요?

식 : $3\times4\times2=24$ 답 : 24 cm^3

✎ 알맞은 식을 쓰고 답을 구하세요.

③ 한 모서리의 길이가 2 cm인 정육면체 모양 주사위가 있습니다. 이 주사위의 부피는 몇 cm^3일까요?

식 : $2\times2\times2=8$ 답 : 8 cm^3

④ 한 모서리의 길이가 7 cm인 정육면체 모양 블록이 있습니다. 이 블록의 부피는 몇 cm^3일까요?

식 : $7\times7\times7=343$ 답 : 343 cm^3

✎ 알맞은 식을 쓰고 답을 구하세요.

⑤ 직육면체 모양의 빵을 잘라서 정육면체 모양으로 만들려고 합니다. 만들 수 있는 가장 큰 정육면체 모양의 부피는 몇 cm^3일까요?

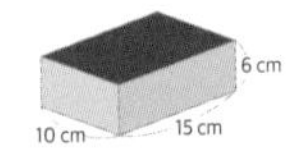

식 : $6\times6\times6=216$ 답 : 216 cm^3

✎ 풀이 과정을 쓰고 답을 구하세요.

⑥ 부피가 336 cm^3인 직육면체가 있습니다. 이 직육면체의 가로가 6 cm, 세로가 7 cm일 때 높이는 몇 cm일까요?

풀이 : 직육면체의 높이를 □ cm라고 하면
(직육면체의 부피)=6×7×□=336, □=8

답 : 8 cm

⑦ 부피가 450 cm^3인 직육면체가 있습니다. 이 직육면체의 가로가 5 cm, 높이가 10 cm일 때 세로는 몇 cm일까요?

풀이 : 직육면체의 세로를 □ cm라고 하면
(직육면체의 부피)=5×□×10=450, □=9

답 : 9 cm

16 F3-직육면체와 원 | 1주: 직육면체의 부피와 겉넓이(1) 17

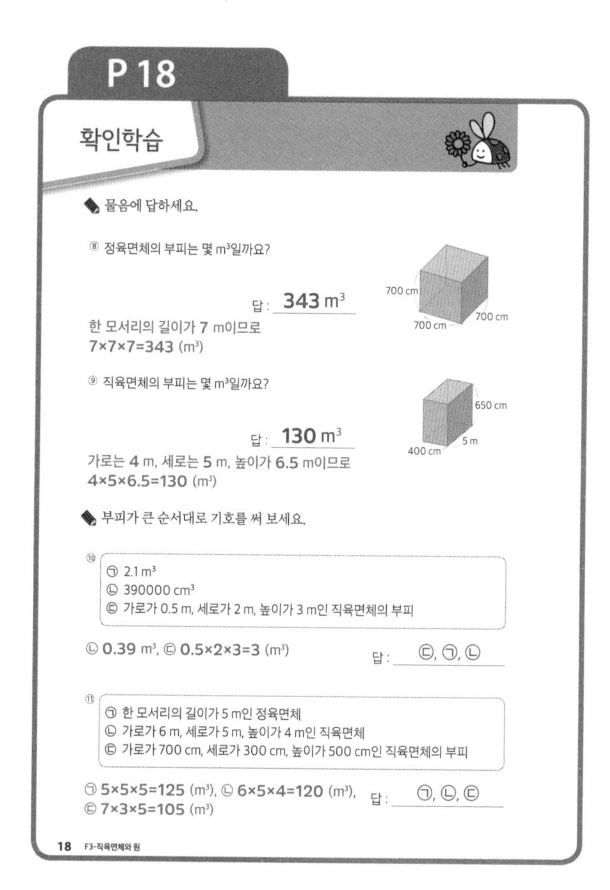

P 18

확인학습

물음에 답하세요.

⑧ 정육면체의 부피는 몇 m^3일까요?

답 : **343 m^3**

한 모서리의 길이가 7 m이므로
$7\times7\times7=343$ (m^3)

⑨ 직육면체의 부피는 몇 m^3일까요?

답 : **130 m^3**

가로는 4 m, 세로는 5 m, 높이가 6.5 m이므로
$4\times5\times6.5=130$ (m^3)

부피가 큰 순서대로 기호를 써 보세요.

⑩
- ㉠ 2.1 m^3
- ㉡ 390000 cm^3
- ㉢ 가로가 0.5 m, 세로가 2 m, 높이가 3 m인 직육면체의 부피

㉡ 0.39 m^3, ㉢ $0.5\times2\times3=3$ (m^3)

답 : ㉢, ㉠, ㉡

⑪
- ㉠ 한 모서리의 길이가 5 m인 정육면체
- ㉡ 가로가 6 m, 세로가 5 m, 높이가 4 m인 직육면체
- ㉢ 가로가 700 cm, 세로가 300 cm, 높이가 500 cm인 직육면체의 부피

㉠ $5\times5\times5=125$ (m^3), ㉡ $6\times5\times4=120$ (m^3),
㉢ $7\times3\times5=105$ (m^3)

답 : ㉠, ㉡, ㉢

18 F3-직육면체와 원

P 20 ~ 21

1일 전개도와 직육면체의 겉넓이

옆에 겉면의 넓이를 겉넓이라고 해. 직육면체의 겉넓이는 여섯 면의 넓이의 합을 뜻하지.

2가지 방법으로 직육면체의 겉넓이를 구하세요.

○ 5 cm, 4 cm, 3 cm

방법 1 (한 꼭짓점에서 만나는 세 면의 넓이의 합)×2

$=(4\times3+4\times5+3\times5)\times2=47\times2=94$ (cm²)

방법 2 (한 밑면의 넓이)×2+(옆면의 넓이)

$=4\times3\times2+14\times5=24+70=94$ (cm²)

② 5 cm, 5 cm, 2 cm

방법 1 (한 꼭짓점에서 만나는 세 면의 넓이의 합)×2

$=(2\times5+2\times5+5\times5)\times2=45\times2=90$ (cm²)

방법 2 (한 밑면의 넓이)×2+(옆면의 넓이)

$=2\times5\times2+14\times5=20+70=90$ (cm²)

① 8 cm, 7 cm, 6 cm

방법 1 (한 꼭짓점에서 만나는 세 면의 넓이의 합)×2

$=(7\times6+7\times8+6\times8)\times2=146\times2=292$ (cm²)

방법 2 (한 밑면의 넓이)×2+(옆면의 넓이)

$=7\times6\times2+26\times8=84+208=292$ (cm²)

③ 4 cm, 5 cm, 7 cm

방법 1 (한 꼭짓점에서 만나는 세 면의 넓이의 합)×2

$=(7\times4+7\times5+4\times5)\times2=83\times2=166$ (cm²)

방법 2 (한 밑면의 넓이)×2+(옆면의 넓이)

$=7\times4\times2+22\times5=56+110=166$ (cm²)

20 F3-직육면체와 원 / 2주: 직육면체의 부피와 겉넓이(2) 21

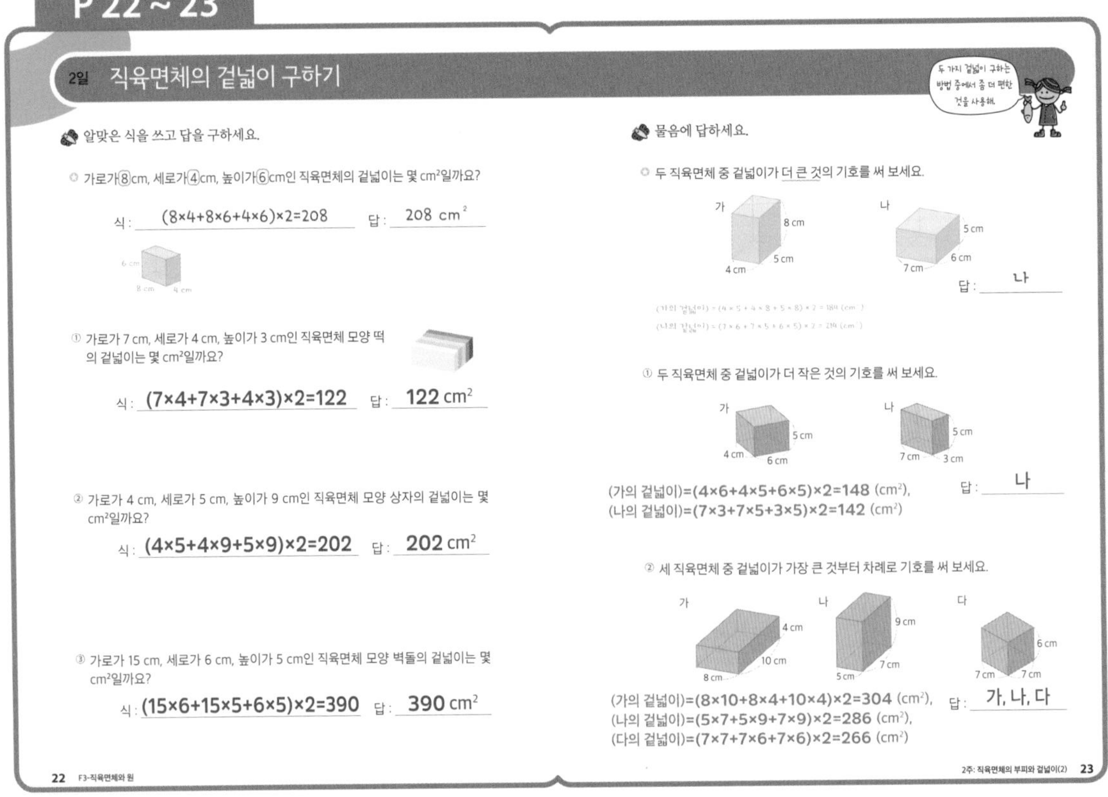

P 22 ~ 23

2일 직육면체의 겉넓이 구하기

두 가지 겉넓이 구하는 방법 중에서 좀 더 편한 것을 사용해.

알맞은 식을 쓰고 답을 구하세요.

○ 가로가 8cm, 세로가 4cm, 높이가 6cm인 직육면체의 겉넓이는 몇 cm²일까요?

식: $(8\times4+8\times6+4\times6)\times2=208$ 답: 208 cm²

① 가로가 7 cm, 세로가 4 cm, 높이가 3 cm인 직육면체 모양 떡의 겉넓이는 몇 cm²일까요?

식: $(7\times4+7\times3+4\times3)\times2=122$ 답: 122 cm²

② 가로가 4 cm, 세로가 5 cm, 높이가 9 cm인 직육면체 모양 상자의 겉넓이는 몇 cm²일까요?

식: $(4\times5+4\times9+5\times9)\times2=202$ 답: 202 cm²

③ 가로가 15 cm, 세로가 6 cm, 높이가 5 cm인 직육면체 모양 벽돌의 겉넓이는 몇 cm²일까요?

식: $(15\times6+15\times5+6\times5)\times2=390$ 답: 390 cm²

물음에 답하세요.

○ 두 직육면체 중 겉넓이가 더 큰 것의 기호를 써 보세요.

답: 나

① 두 직육면체 중 겉넓이가 더 작은 것의 기호를 써 보세요.

(가의 겉넓이)$=(4\times6+4\times5+6\times5)\times2=148$ (cm²),
(나의 겉넓이)$=(7\times3+7\times5+3\times5)\times2=142$ (cm²)

답: 나

② 세 직육면체 중 겉넓이가 가장 큰 것부터 차례로 기호를 써 보세요.

(가의 겉넓이)$=(8\times10+8\times4+10\times4)\times2=304$ (cm²),
(나의 겉넓이)$=(5\times7+5\times9+7\times9)\times2=286$ (cm²),
(다의 겉넓이)$=(7\times7+7\times6+7\times6)\times2=266$ (cm²)

답: 가, 나, 다

22 F3-직육면체와 원 / 2주: 직육면체의 부피와 겉넓이(2) 23

P 24 ~ 25

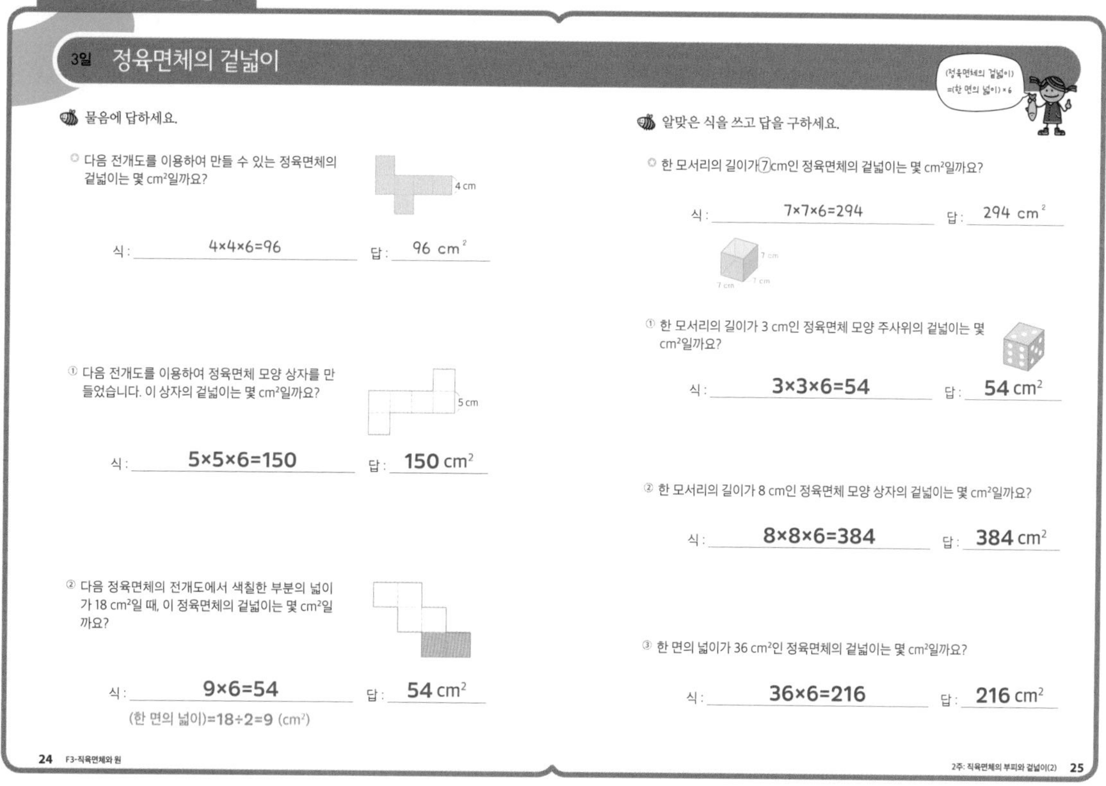

3일 정육면체의 겉넓이

물음에 답하세요.

◎ 다음 전개도를 이용하여 만들 수 있는 정육면체의 겉넓이는 몇 cm²일까요?

식 : 4×4×6=96 답 : 96 cm²

① 다음 전개도를 이용하여 정육면체 모양 상자를 만들었습니다. 이 상자의 겉넓이는 몇 cm²일까요?

식 : 5×5×6=150 답 : 150 cm²

② 다음 정육면체의 전개도에서 색칠한 부분의 넓이가 18 cm²일 때, 이 정육면체의 겉넓이는 몇 cm²일까요?

식 : 9×6=54 답 : 54 cm²

(한 면의 넓이)=18÷2=9 (cm²)

알맞은 식을 쓰고 답을 구하세요.

◎ 한 모서리의 길이가 7 cm인 정육면체의 겉넓이는 몇 cm²일까요?

식 : 7×7×6=294 답 : 294 cm²

① 한 모서리의 길이가 3 cm인 정육면체 모양 주사위의 겉넓이는 몇 cm²일까요?

식 : 3×3×6=54 답 : 54 cm²

② 한 모서리의 길이가 8 cm인 정육면체 모양 상자의 겉넓이는 몇 cm²일까요?

식 : 8×8×6=384 답 : 384 cm²

③ 한 면의 넓이가 36 cm²인 정육면체의 겉넓이는 몇 cm²일까요?

식 : 36×6=216 답 : 216 cm²

24 F3-직육면체와 원 2주: 직육면체의 부피와 겉넓이(2) 25

P 26 ~ 27

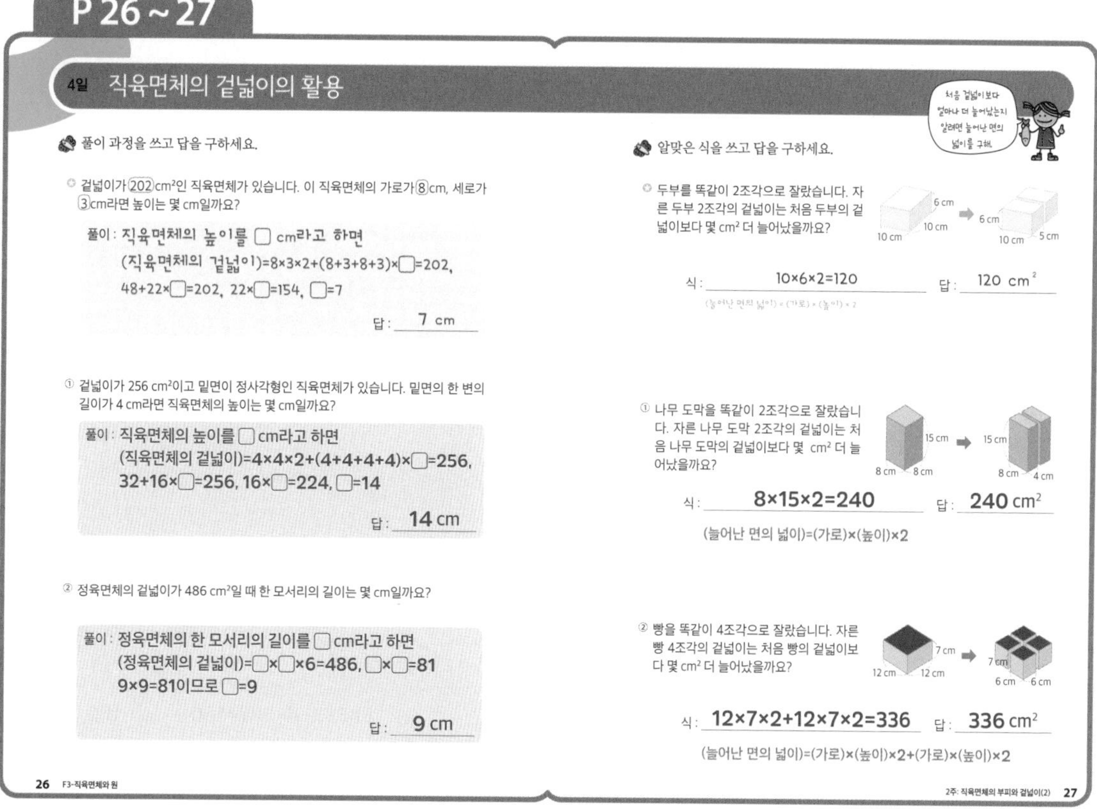

4일 직육면체의 겉넓이의 활용

풀이 과정을 쓰고 답을 구하세요.

◎ 겉넓이가 202 cm²인 직육면체가 있습니다. 이 직육면체의 가로가 8 cm, 세로가 3 cm라면 높이는 몇 cm일까요?

풀이 : 직육면체의 높이를 □ cm라고 하면
(직육면체의 겉넓이)=8×3×2+(8+3+8+3)×□=202,
48+22×□=202, 22×□=154, □=7

답 : 7 cm

① 겉넓이가 256 cm²이고 밑면이 정사각형인 직육면체가 있습니다. 밑면의 한 변의 길이가 4 cm라면 직육면체의 높이는 몇 cm일까요?

풀이 : 직육면체의 높이를 □ cm라고 하면
(직육면체의 겉넓이)=4×4×2+(4+4+4+4)×□=256,
32+16×□=256, 16×□=224, □=14

답 : 14 cm

② 정육면체의 겉넓이가 486 cm²일 때 한 모서리의 길이는 몇 cm일까요?

풀이 : 정육면체의 한 모서리의 길이를 □ cm라고 하면
(정육면체의 겉넓이)=□×□×6=486, □×□=81
9×9=81이므로 □=9

답 : 9 cm

알맞은 식을 쓰고 답을 구하세요.

◎ 두부를 똑같이 2조각으로 잘랐습니다. 자른 두부 2조각의 겉넓이는 처음 두부의 겉넓이보다 몇 cm² 더 늘어났을까요?

식 : 10×6×2=120 답 : 120 cm²

(늘어난 면의 넓이)=(가로)×(높이)×2

① 나무 도막을 똑같이 2조각으로 잘랐습니다. 자른 나무 도막 2조각의 겉넓이는 처음 나무 도막의 겉넓이보다 몇 cm² 더 늘어났을까요?

식 : 8×15×2=240 답 : 240 cm²

(늘어난 면의 넓이)=(가로)×(높이)×2

② 빵을 똑같이 4조각으로 잘랐습니다. 자른 빵 4조각의 겉넓이는 처음 빵의 겉넓이보다 몇 cm² 더 늘어났을까요?

식 : 12×7×2+12×7×2=336 답 : 336 cm²

(늘어난 면의 넓이)=(가로)×(높이)×2+(가로)×(높이)×2

26 F3-직육면체와 원 2주: 직육면체의 부피와 겉넓이(2) 27

P 28 ~ 29

5일 직육면체의 부피와 겉넓이

모르는 모서리의 길이를 먼저 구해야 해.

풀이 과정을 쓰고 답을 구하세요.

◎ 가로가 ③cm, 세로가 ⑦cm인 직육면체의 부피가 ㉟84cm³일 때, 겉넓이는 몇 cm² 일까요?

풀이 : (높이)$=84\div(3\times7)=4$ (cm)이므로
(직육면체의 겉넓이)$=(3\times7+3\times4+7\times4)\times2=122$

답 : 122 cm²

① 가로가 5 cm, 높이가 8 cm인 직육면체 모양의 상자의 부피가 360 cm³일 때, 겉넓이는 몇 cm²일까요?

풀이 : (세로)$=360\div(5\times8)=9$이므로
(직육면체의 겉넓이)$=(5\times9+5\times8+9\times8)\times2=314$

답 : 314 cm²

② 부피가 27 cm³인 정육면체의 겉넓이는 몇 cm²일까요?

풀이 : $3\times3\times3=27$이므로 한 모서리의 길이는 3 cm입니다.
(정육면체의 겉넓이)$=3\times3\times6=54$

답 : 54 cm²

③ 겉넓이가 96 cm²인 정육면체의 부피는 몇 cm³일까요?

풀이 : 정육면체의 한 모서리의 길이를 □cm라고 하면
$\square\times\square\times6=96$, $\square\times\square=16$, $\square=4$
(정육면체의 부피)$=4\times4\times4=64$

답 : 64 cm³

④ 겉넓이가 348 cm²인 직육면체가 있습니다. 이 직육면체의 가로가 9 cm, 세로가 6 cm일 때, 직육면체의 부피는 몇 cm³일까요?

풀이 : 직육면체의 높이를 □cm라고 하면
(직육면체의 겉넓이)$=9\times6\times2+(9+6+9+6)\times\square=348$
$108+30\times\square=348$, $30\times\square=240$, $\square=8$
(직육면체의 부피)$=9\times6\times8=432$

답 : 432 cm³

⑤ 겉넓이가 112 cm²이고 밑면이 정사각형인 직육면체가 있습니다. 밑면의 한 변의 길이가 4 cm일 때, 직육면체의 부피는 몇 cm³일까요?

풀이 : 직육면체의 높이를 □cm라고 하면
(직육면체의 겉넓이)$=4\times4\times2+(4+4+4+4)\times\square=112$
$32+16\times\square=112$, $16\times\square=80$, $\square=5$
(직육면체의 부피)$=4\times4\times5=80$

답 : 80 cm³

P 30 ~ 31

확인학습

알맞은 식을 쓰고 답을 구하세요.

① 가로가 7 cm, 세로가 4 cm, 높이가 5 cm인 직육면체의 겉넓이는 몇 cm²일까요?

식 : $(7\times4+7\times5+4\times5)\times2=166$ 답 : 166 cm²

② 가로가 9 cm, 세로가 4 cm, 높이가 3 cm인 직육면체 모양 상자의 겉넓이는 몇 cm²일까요?

식 : $(9\times4+9\times3+4\times3)\times2=150$ 답 : 150 cm²

알맞은 식을 쓰고 답을 구하세요.

③ 한 모서리의 길이가 5 cm인 정육면체 모양 장난감 블록의 겉넓이는 몇 cm²일까요?

식 : $5\times5\times6=150$ 답 : 150 cm²

④ 한 면의 넓이가 100 cm²인 정육면체의 겉넓이는 몇 cm²일까요?

식 : $100\times6=600$ 답 : 600 cm²

풀이 과정을 쓰고 답을 구하세요.

⑤ 겉넓이가 78 cm²이고 밑면이 정사각형인 직육면체가 있습니다. 밑면의 한 변의 길이가 3 cm라면 직육면체의 높이는 몇 cm일까요?

풀이 : 직육면체의 높이를 □cm라고 하면
(직육면체의 겉넓이)$=3\times3\times2+(3+3+3+3)\times\square=78$
$18+12\times\square=78$, $12\times\square=60$, $\square=5$

답 : 5 cm

알맞은 식을 쓰고 답을 구하세요.

⑥ 떡을 똑같이 2조각으로 잘랐습니다. 자른 떡 2조각의 겉넓이는 처음 떡의 겉넓이보다 몇 cm² 더 늘어났을까요?

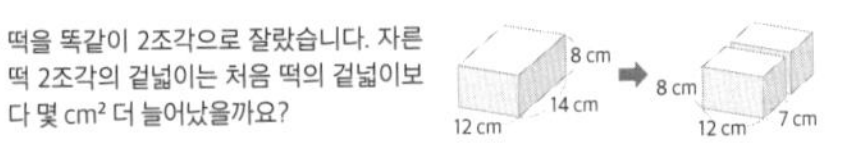

식 : $12\times8\times2=192$ 답 : 192 cm²

(늘어난 면의 넓이)=(가로)×(높이)×2

⑦ 빵을 똑같이 4조각으로 잘랐습니다. 자른 빵 4조각의 겉넓이는 처음 빵의 겉넓이보다 몇 cm² 더 늘어났을까요?

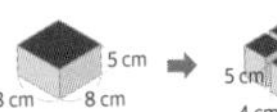

식 : $8\times5\times2+8\times5\times2=160$ 답 : 160 cm²

(늘어난 면의 넓이)=(가로)×(높이)×2+(가로)×(높이)×2

P 32

확인학습

풀이 과정을 쓰고 답을 구하세요.

⑧ 세로가 6 cm, 높이가 7 cm인 직육면체 모양의 상자의 부피가 126 cm^3일 때, 겉넓이는 몇 cm^2일까요?

풀이 : (가로)=126÷(6×7)=3이므로
(직육면체의 겉넓이)=(3×6+3×7+6×7)×2=162

답 : 162 cm^2

⑨ 겉넓이가 294 cm^2인 정육면체의 부피는 몇 cm^3일까요?

풀이 : 정육면체의 한 모서리의 길이를 □ cm라고 하면
□×□×6=294, □×□=49, □=7
(정육면체의 부피)=7×7×7=343

답 : 343 cm^3

⑩ 겉넓이가 158 cm^2인 직육면체가 있습니다. 이 직육면체의 가로가 5 cm, 세로가 3 cm일 때, 직육면체의 부피는 몇 cm^3일까요?

풀이 : 직육면체의 높이를 □ cm라고 하면
(직육면체의 겉넓이)=5×3×2+(5+3+5+3)×□=158
30+16×□=158, 16×□=128, □=8
(직육면체의 부피)=5×3×8=120

답 : 120 cm^3

32 F3-직육면체와 원

P 34 ~ 35

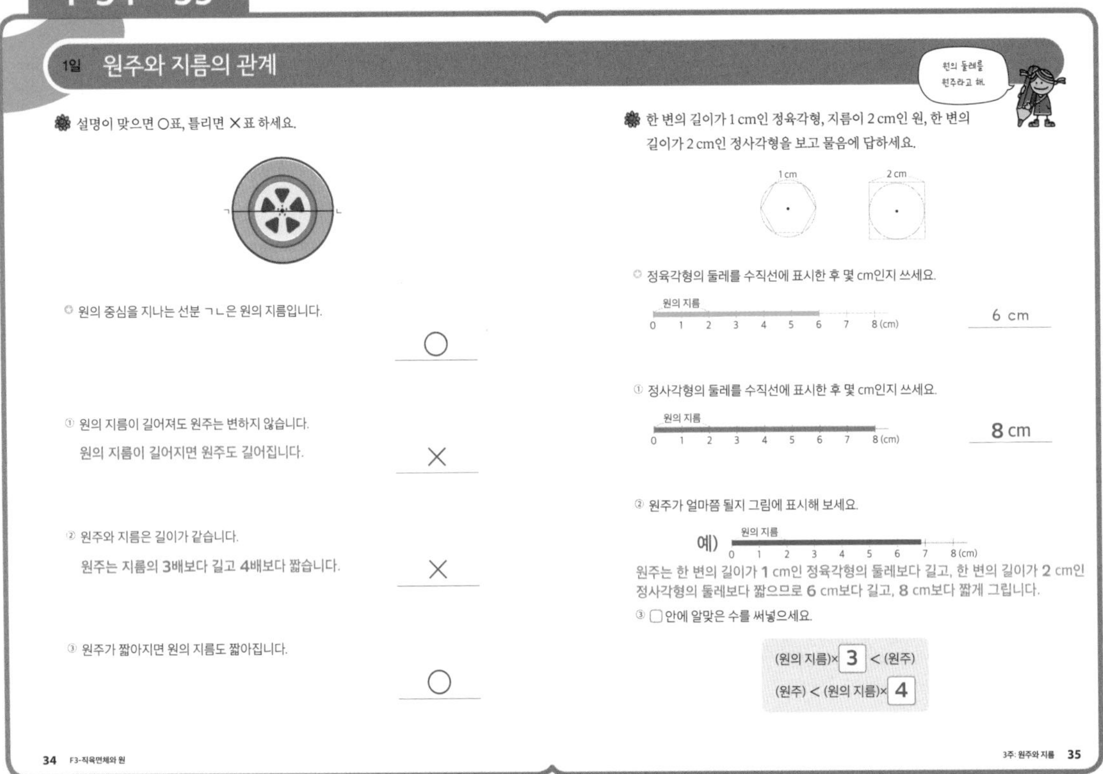
1일 원주와 지름의 관계

❀ 설명이 맞으면 ○표, 틀리면 ×표 하세요.

◎ 원의 중심을 지나는 선분 ㄱㄴ은 원의 지름입니다. ○

① 원의 지름이 길어져도 원주는 변하지 않습니다. ×
원의 지름이 길어지면 원주도 길어집니다.

② 원주와 지름은 길이가 같습니다. ×
원주는 지름의 3배보다 길고 4배보다 짧습니다.

③ 원주가 짧아지면 원의 지름도 짧아집니다. ○

❀ 한 변의 길이가 1 cm인 정육각형, 지름이 2 cm인 원, 한 변의 길이가 2 cm인 정사각형을 보고 물음에 답하세요.

◎ 정육각형의 둘레를 수직선에 표시한 후 몇 cm인지 쓰세요. 6 cm

① 정사각형의 둘레를 수직선에 표시한 후 몇 cm인지 쓰세요. 8 cm

② 원주가 얼마쯤 될지 그림에 표시해 보세요.
예) 원주는 한 변의 길이가 1 cm인 정육각형의 둘레보다 길고, 한 변의 길이가 2 cm인 정사각형의 둘레보다 짧으므로 6 cm보다 길고, 8 cm보다 짧게 그립니다.

③ □ 안에 알맞은 수를 써넣으세요.
(원의 지름)×3 < (원주)
(원주) < (원의 지름)×4

34 F3-직육면체와 원 / 3주: 원주와 지름 35

P 36 ~ 37

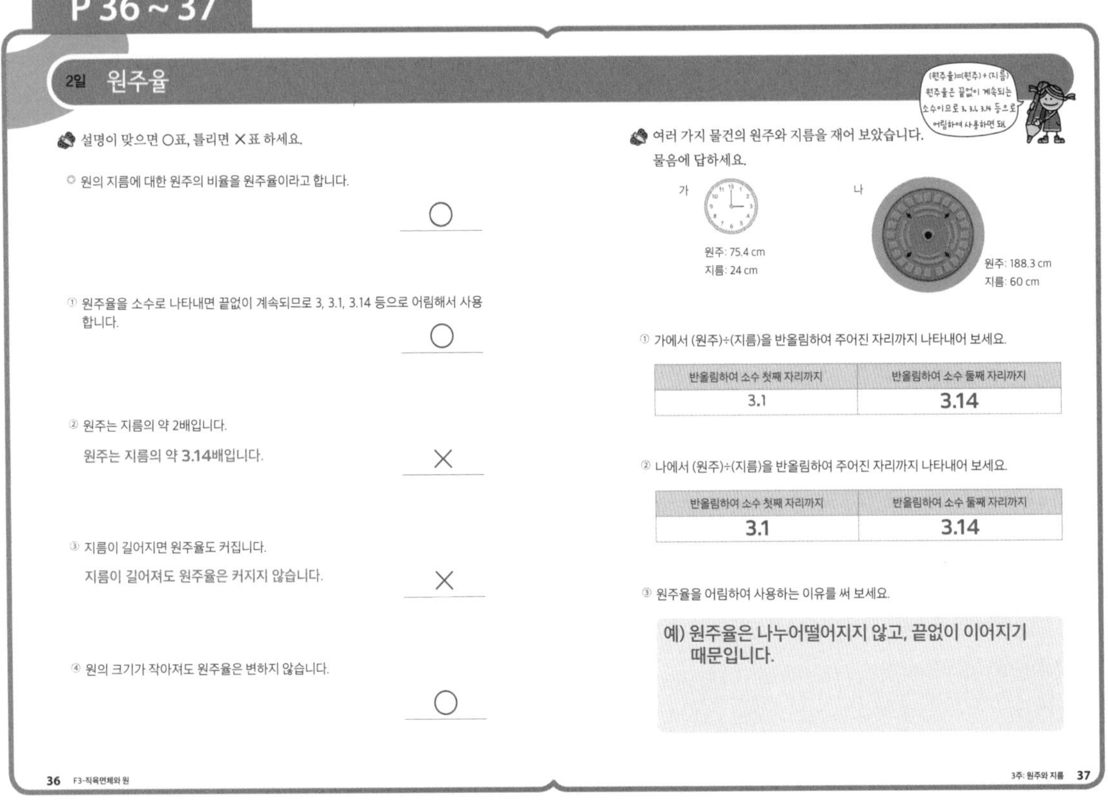
2일 원주율

❀ 설명이 맞으면 ○표, 틀리면 ×표 하세요.

◎ 원의 지름에 대한 원주의 비율을 원주율이라고 합니다. ○

① 원주율을 소수로 나타내면 끝없이 계속되므로 3, 3.1, 3.14 등으로 어림해서 사용합니다. ○

② 원주는 지름의 약 2배입니다. ×
원주는 지름의 약 3.14배입니다.

③ 지름이 길어지면 원주율도 커집니다. ×
지름이 길어져도 원주율은 커지지 않습니다.

④ 원의 크기가 작아져도 원주율은 변하지 않습니다. ○

❀ 여러 가지 물건의 원주와 지름을 재어 보았습니다. 물음에 답하세요.

가 원주: 75.4 cm, 지름: 24 cm
나 원주: 188.3 cm, 지름: 60 cm

① 가에서 (원주)÷(지름)을 반올림하여 주어진 자리까지 나타내어 보세요.

반올림하여 소수 첫째 자리까지	반올림하여 소수 둘째 자리까지
3.1	3.14

② 나에서 (원주)÷(지름)을 반올림하여 주어진 자리까지 나타내어 보세요.

반올림하여 소수 첫째 자리까지	반올림하여 소수 둘째 자리까지
3.1	3.14

③ 원주율을 어림하여 사용하는 이유를 써 보세요.
예) 원주율은 나누어떨어지지 않고, 끝없이 이어지기 때문입니다.

36 F3-직육면체와 원 / 3주: 원주와 지름 37

P 38 ~ 39

3일 원주와 지름 구하기

(원주)=(지름)×(원주율), (지름)=(원주)÷(원주율)

알맞은 식을 쓰고 답을 구하세요.

◎ 지름이 6 cm인 원의 원주는 몇 cm일까요? (원주율: 3.14)

식 : 6×3.14=18.84 답 : 18.84 cm

① 지름이 8 cm인 원 모양의 시계의 원주는 몇 cm일까요? (원주율: 3.1)

식 : 8×3.1=24.8 답 : 24.8 cm

② 반지름이 5 cm인 원의 원주는 몇 cm일까요? (원주율: 3.14)

식 : 5×2×3.14=31.4 답 : 31.4 cm

③ 반지름이 7 cm인 원 모양의 미니 선풍기의 원주는 몇 cm일까요? (원주율: 3)

식 : 7×2×3=42 답 : 42 cm

알맞은 식을 쓰고 답을 구하세요.

◎ 원주가 12.56 cm인 원의 지름은 몇 cm일까요? (원주율: 3.14)

식 : 12.56÷3.14=4 답 : 4 cm

① 원주가 46.5 cm인 원의 지름은 몇 cm일까요? (원주율: 3.1)

식 : 46.5÷3.1=15 답 : 15 cm

② 원주가 12 cm인 원의 반지름은 몇 cm일까요? (원주율: 3)

식 : 12÷3÷2=2 답 : 2 cm

③ 길이가 74.4 cm인 종이띠를 겹치지 않게 붙여서 원을 만들었습니다. 만들어진 원의 반지름은 몇 cm일까요? (원주율: 3.1)

식 : 74.4÷3.1÷2=12 답 : 12 cm

38 F3-직육면체와 원 3주: 원주와 지름 39

P 40 ~ 41

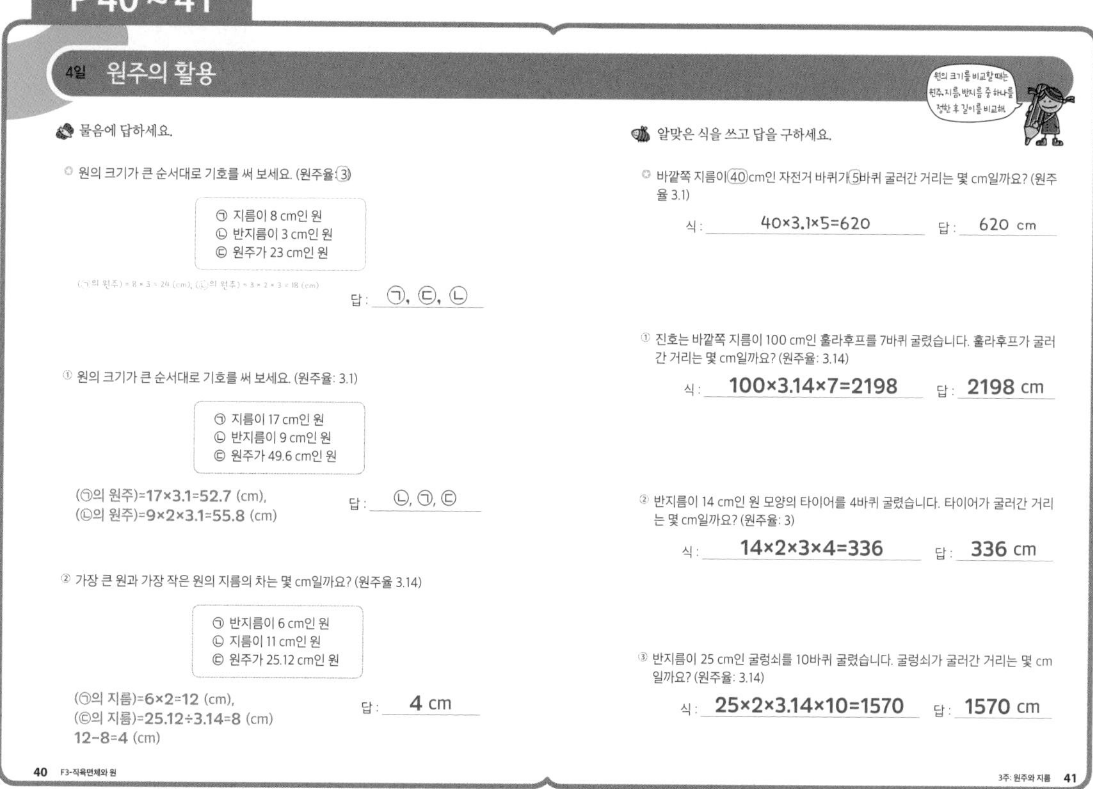

4일 원주의 활용

물음에 답하세요.

◎ 원의 크기가 큰 순서대로 기호를 써 보세요. (원주율: 3)

㉠ 지름이 8 cm인 원
㉡ 반지름이 3 cm인 원
㉢ 원주가 23 cm인 원

(㉠의 원주)=8×3=24 (cm), (㉡의 원주)=3×2×3=18 (cm)

답 : ㉠, ㉢, ㉡

① 원의 크기가 큰 순서대로 기호를 써 보세요. (원주율: 3.1)

㉠ 지름이 17 cm인 원
㉡ 반지름이 9 cm인 원
㉢ 원주가 49.6 cm인 원

(㉠의 원주)=17×3.1=52.7 (cm),
(㉡의 원주)=9×2×3.1=55.8 (cm)

답 : ㉡, ㉠, ㉢

② 가장 큰 원과 가장 작은 원의 지름의 차는 몇 cm일까요? (원주율 3.14)

㉠ 반지름이 6 cm인 원
㉡ 지름이 11 cm인 원
㉢ 원주가 25.12 cm인 원

(㉠의 지름)=6×2=12 (cm),
(㉢의 지름)=25.12÷3.14=8 (cm)
12−8=4 (cm)

답 : 4 cm

알맞은 식을 쓰고 답을 구하세요.

◎ 바깥쪽 지름이 40 cm인 자전거 바퀴가 5바퀴 굴러간 거리는 몇 cm일까요? (원주율 3.1)

식 : 40×3.1×5=620 답 : 620 cm

① 진호는 바깥쪽 지름이 100 cm인 훌라후프를 7바퀴 굴렸습니다. 훌라후프가 굴러간 거리는 몇 cm일까요? (원주율: 3.14)

식 : 100×3.14×7=2198 답 : 2198 cm

② 반지름이 14 cm인 원 모양의 타이어를 4바퀴 굴렸습니다. 타이어가 굴러간 거리는 몇 cm일까요? (원주율: 3)

식 : 14×2×3×4=336 답 : 336 cm

③ 반지름이 25 cm인 굴렁쇠를 10바퀴 굴렸습니다. 굴렁쇠가 굴러간 거리는 몇 cm일까요? (원주율: 3.14)

식 : 25×2×3.14×10=1570 답 : 1570 cm

40 F3-직육면체와 원 3주: 원주와 지름 41

P 42 ~ 43

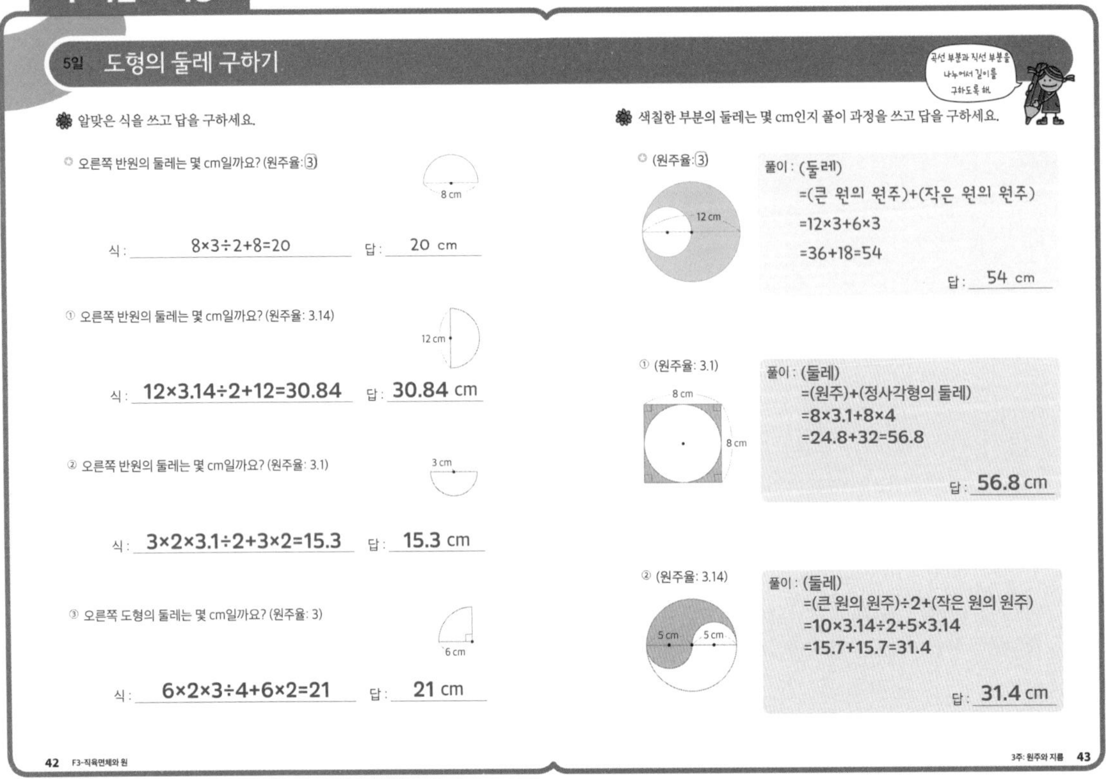

5일 도형의 둘레 구하기

❀ 알맞은 식을 쓰고 답을 구하세요.

◎ 오른쪽 반원의 둘레는 몇 cm일까요? (원주율: 3)

8 cm

식 : 8×3÷2+8=20 답 : 20 cm

① 오른쪽 반원의 둘레는 몇 cm일까요? (원주율: 3.14)

12 cm

식 : 12×3.14÷2+12=30.84 답 : 30.84 cm

② 오른쪽 반원의 둘레는 몇 cm일까요? (원주율: 3.1)

3 cm

식 : 3×2×3.1÷2+3×2=15.3 답 : 15.3 cm

③ 오른쪽 도형의 둘레는 몇 cm일까요? (원주율: 3)

6 cm

식 : 6×2×3÷4+6×2=21 답 : 21 cm

곡선 부분과 직선 부분을 나누어서 길이를 구하도록 해.

❀ 색칠한 부분의 둘레는 몇 cm인지 풀이 과정을 쓰고 답을 구하세요.

◎ (원주율: 3)

12 cm

풀이 : (둘레)
=(큰 원의 원주)+(작은 원의 원주)
=12×3+6×3
=36+18=54

답 : 54 cm

① (원주율: 3.1)

8 cm, 8 cm

풀이 : (둘레)
=(원주)+(정사각형의 둘레)
=8×3.1+8×4
=24.8+32=56.8

답 : 56.8 cm

② (원주율: 3.14)

5 cm, 5 cm

풀이 : (둘레)
=(큰 원의 원주)÷2+(작은 원의 원주)
=10×3.14÷2+5×3.14
=15.7+15.7=31.4

답 : 31.4 cm

42 F3-직육면체와 원 / 3주: 원주와 지름 43

P 44 ~ 45

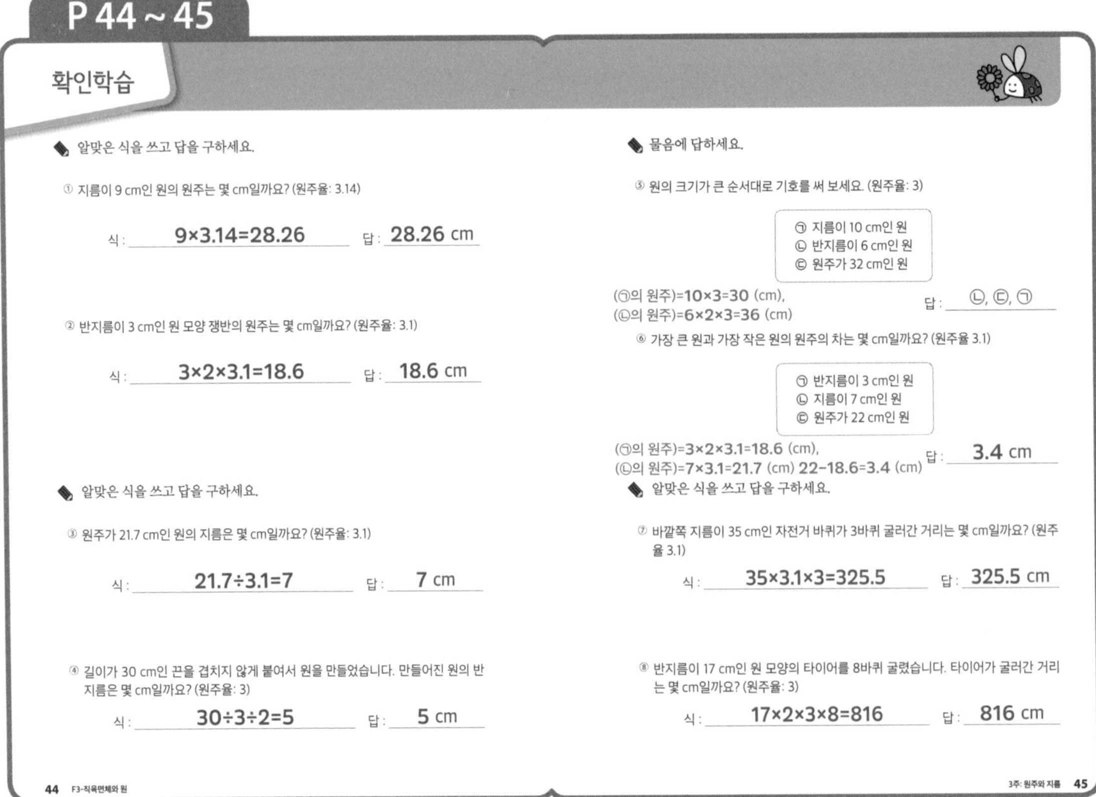

확인학습

✎ 알맞은 식을 쓰고 답을 구하세요.

① 지름이 9 cm인 원의 원주는 몇 cm일까요? (원주율: 3.14)

식 : 9×3.14=28.26 답 : 28.26 cm

② 반지름이 3 cm인 원 모양 쟁반의 원주는 몇 cm일까요? (원주율: 3.1)

식 : 3×2×3.1=18.6 답 : 18.6 cm

✎ 알맞은 식을 쓰고 답을 구하세요.

③ 원주가 21.7 cm인 원의 지름은 몇 cm일까요? (원주율: 3.1)

식 : 21.7÷3.1=7 답 : 7 cm

④ 길이가 30 cm인 끈을 겹치지 않게 붙여서 원을 만들었습니다. 만들어진 원의 반지름은 몇 cm일까요? (원주율: 3)

식 : 30÷3÷2=5 답 : 5 cm

✎ 물음에 답하세요.

⑤ 원의 크기가 큰 순서대로 기호를 써 보세요. (원주율: 3)

㉠ 지름이 10 cm인 원
㉡ 반지름이 6 cm인 원
㉢ 원주가 32 cm인 원

(㉠의 원주)=10×3=30 (cm),
(㉡의 원주)=6×2×3=36 (cm)

답 : ㉡, ㉢, ㉠

⑥ 가장 큰 원과 가장 작은 원의 원주의 차는 몇 cm일까요? (원주율 3.1)

㉠ 반지름이 3 cm인 원
㉡ 지름이 7 cm인 원
㉢ 원주가 22 cm인 원

(㉠의 원주)=3×2×3.1=18.6 (cm),
(㉡의 원주)=7×3.1=21.7 (cm) 22−18.6=3.4 (cm)

답 : 3.4 cm

✎ 알맞은 식을 쓰고 답을 구하세요.

⑦ 바깥쪽 지름이 35 cm인 자전거 바퀴가 3바퀴 굴러간 거리는 몇 cm일까요? (원주율 3.1)

식 : 35×3.1×3=325.5 답 : 325.5 cm

⑧ 반지름이 17 cm인 원 모양의 타이어를 8바퀴 굴렸습니다. 타이어가 굴러간 거리는 몇 cm일까요? (원주율: 3)

식 : 17×2×3×8=816 답 : 816 cm

44 F3-직육면체와 원 / 3주: 원주와 지름 45

P 46

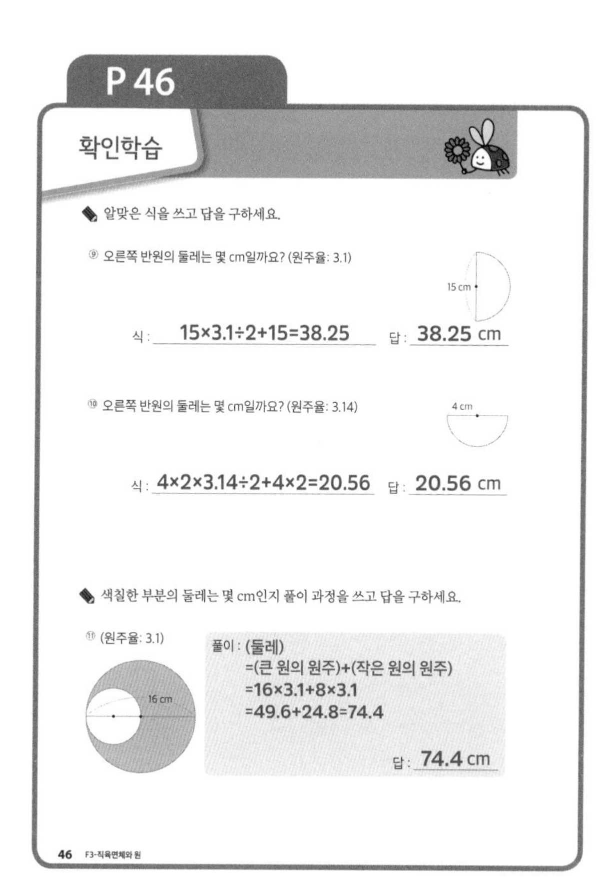
확인학습
알맞은 식을 쓰고 답을 구하세요.
⑨ 오른쪽 반원의 둘레는 몇 cm일까요? (원주율: 3.1)
15 cm
식 : 15×3.1÷2+15=38.25
답 : 38.25 cm
⑩ 오른쪽 반원의 둘레는 몇 cm일까요? (원주율: 3.14)
4 cm
식 : 4×2×3.14÷2+4×2=20.56
답 : 20.56 cm
색칠한 부분의 둘레는 몇 cm인지 풀이 과정을 쓰고 답을 구하세요.
⑪ (원주율: 3.1)
16 cm
풀이 : (둘레)
=(큰 원의 원주)+(작은 원의 원주)
=16×3.1+8×3.1
=49.6+24.8=74.4
답 : 74.4 cm
46 F3-직육면체와 원

원의 넓이

P 48 ~ 49

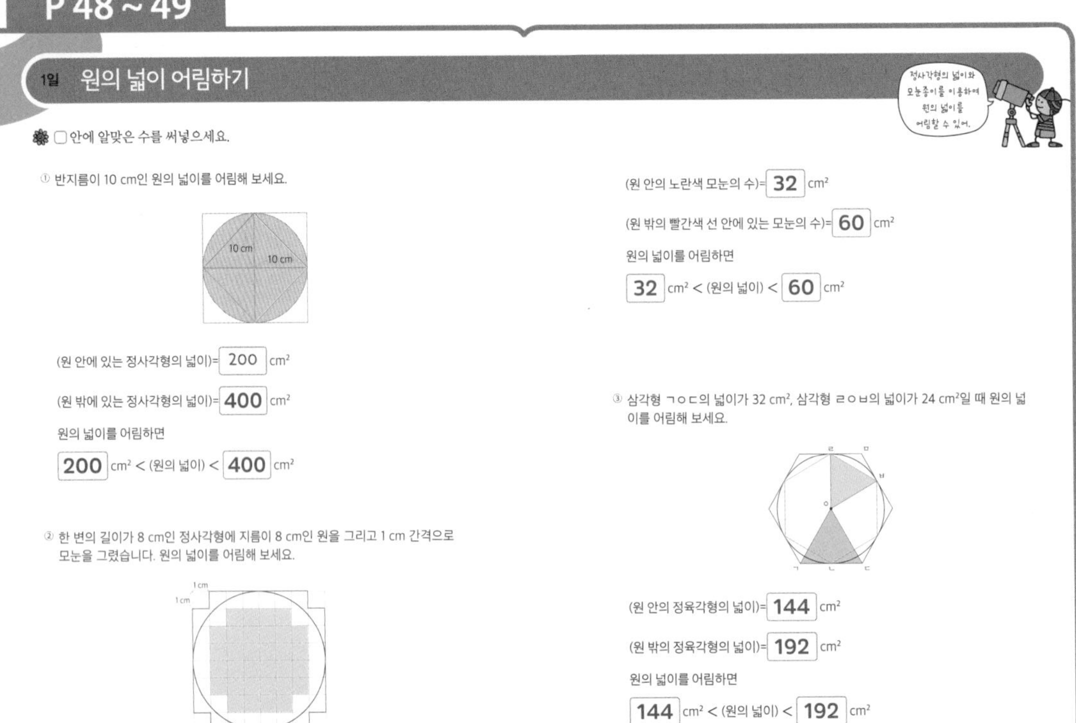

1일 원의 넓이 어림하기

□ 안에 알맞은 수를 써넣으세요.

① 반지름이 10 cm인 원의 넓이를 어림해 보세요.

(원 안에 있는 정사각형의 넓이)= 200 cm^2

(원 밖에 있는 정사각형의 넓이)= 400 cm^2

원의 넓이를 어림하면

200 cm^2 < (원의 넓이) < 400 cm^2

② 한 변의 길이가 8 cm인 정사각형에 지름이 8 cm인 원을 그리고 1 cm 간격으로 모눈을 그렸습니다. 원의 넓이를 어림해 보세요.

(원 안의 노란색 모눈의 수)= 32 cm^2

(원 밖의 빨간색 선 안에 있는 모눈의 수)= 60 cm^2

원의 넓이를 어림하면

32 cm^2 < (원의 넓이) < 60 cm^2

③ 삼각형 ㄱㅇㄷ의 넓이가 32 cm^2, 삼각형 ㄹㅇㅂ의 넓이가 24 cm^2일 때 원의 넓이를 어림해 보세요.

(원 안의 정육각형의 넓이)= 144 cm^2

(원 밖의 정육각형의 넓이)= 192 cm^2

원의 넓이를 어림하면

144 cm^2 < (원의 넓이) < 192 cm^2

48 F3-직육면체와 원   4주: 원의 넓이 49

P 50 ~ 51

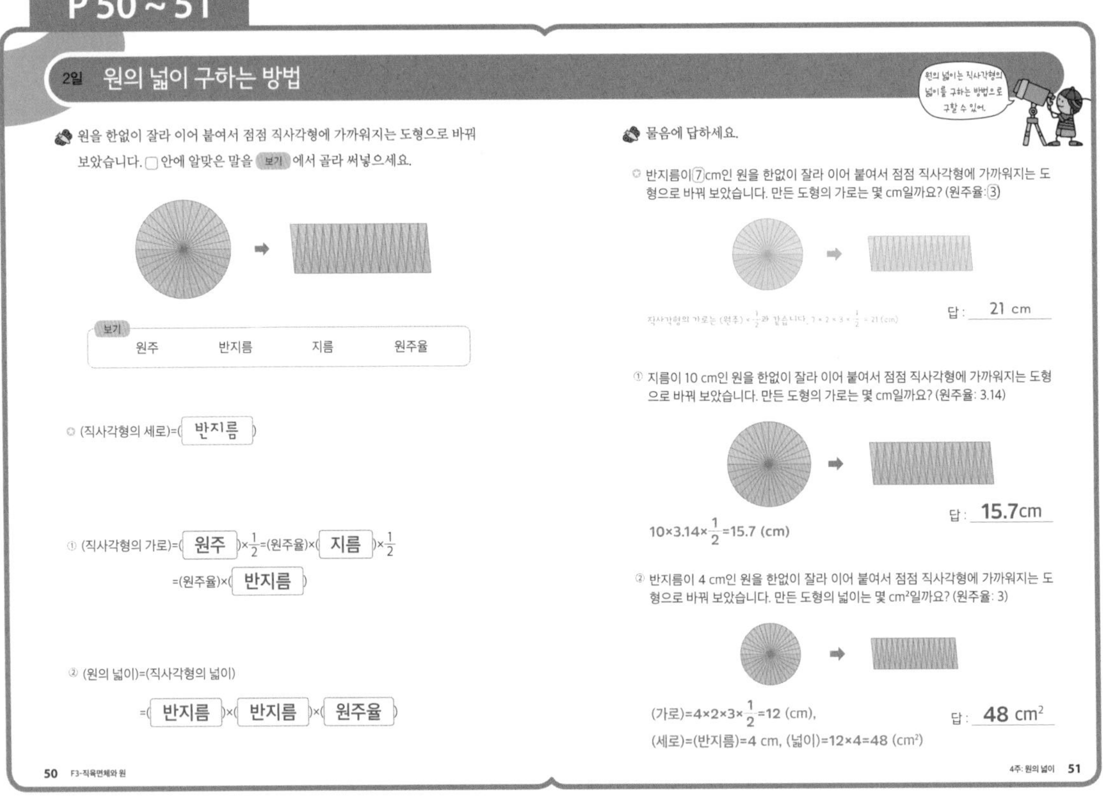

2일 원의 넓이 구하는 방법

원을 한없이 잘라 이어 붙여서 점점 직사각형에 가까워지는 도형으로 바꿔 보았습니다. □ 안에 알맞은 말을 보기 에서 골라 써넣으세요.

보기: 원주   반지름   지름   원주율

○ (직사각형의 세로)=(반지름)

① (직사각형의 가로)=(원주)$\times\frac{1}{2}$=(원주율)×(지름)$\times\frac{1}{2}$

=(원주율)×(반지름)

② (원의 넓이)=(직사각형의 넓이)

=(반지름)×(반지름)×(원주율)

물음에 답하세요.

○ 반지름이 7 cm인 원을 한없이 잘라 이어 붙여서 점점 직사각형에 가까워지는 도형으로 바꿔 보았습니다. 만든 도형의 가로는 몇 cm일까요? (원주율: 3)

직사각형의 가로는 (원주)$\times\frac{1}{2}$과 같습니다. $7\times2\times3\times\frac{1}{2}=21$(cm)

답: 21 cm

① 지름이 10 cm인 원을 한없이 잘라 이어 붙여서 점점 직사각형에 가까워지는 도형으로 바꿔 보았습니다. 만든 도형의 가로는 몇 cm일까요? (원주율: 3.14)

$10\times3.14\times\frac{1}{2}=15.7$ (cm)

답: 15.7cm

② 반지름이 4 cm인 원을 한없이 잘라 이어 붙여서 점점 직사각형에 가까워지는 도형으로 바꿔 보았습니다. 만든 도형의 넓이는 몇 cm^2일까요? (원주율: 3)

(가로)=$4\times2\times3\times\frac{1}{2}=12$ (cm),

(세로)=(반지름)=4 cm, (넓이)=12×4=48 (cm^2)

답: 48 cm^2

50 F3-직육면체와 원   4주: 원의 넓이 51

P 52 ~ 53

3일 원의 넓이 구하기

(원의 넓이) = (반지름) × (반지름) × (원주율)

알맞은 식을 쓰고 답을 구하세요.

◎ 반지름이 ⑤cm인 원의 넓이는 몇 cm^2일까요? (원주율: ③.①)

식: 5×5×3.1=77.5 답: 77.5 cm^2

① 반지름이 6 cm인 원 모양의 빵의 넓이는 몇 cm^2일까요? (원주율: 3.14)

식: 6×6×3.14=113.04 답: 113.04 cm^2

② 지름이 14 cm인 원의 넓이는 몇 cm^2일까요? (원주율: 3)

식: 7×7×3=147 답: 147 cm^2

③ 지름이 40 cm인 원 모양의 타이어의 넓이는 몇 cm^2일까요? (원주율: 3.1)

식: 20×20×3.1=1240 답: 1240 cm^2

풀이 과정을 쓰고 답을 구하세요.

◎ 넓이가 198.4 cm^2인 원의 반지름은 몇 cm일까요? (원주율: 3.1)

풀이: 원의 반지름을 □ cm라 하면
□×□×3.1=198.4, □×□=64
8×8=64이므로 □=8

답: 8 cm

① 넓이가 147 cm^2인 원 모양의 거울의 반지름은 몇 cm일까요? (원주율: 3)

풀이: 원의 반지름을 □ cm라 하면
□×□×3=147, □×□=49
7×7=49이므로 □=7

답: 7 cm

② 넓이가 28.26 cm^2인 원의 지름은 몇 cm일까요? (원주율: 3.14)

풀이: 원의 반지름을 □ cm라 하면
□×□×3.14=28.26, □×□=9
3×3=9이므로 □=3
따라서 원의 지름은 3×2=6

답: 6 cm

52 F3-직육면체와 원 　　　 4주: 원의 넓이 53

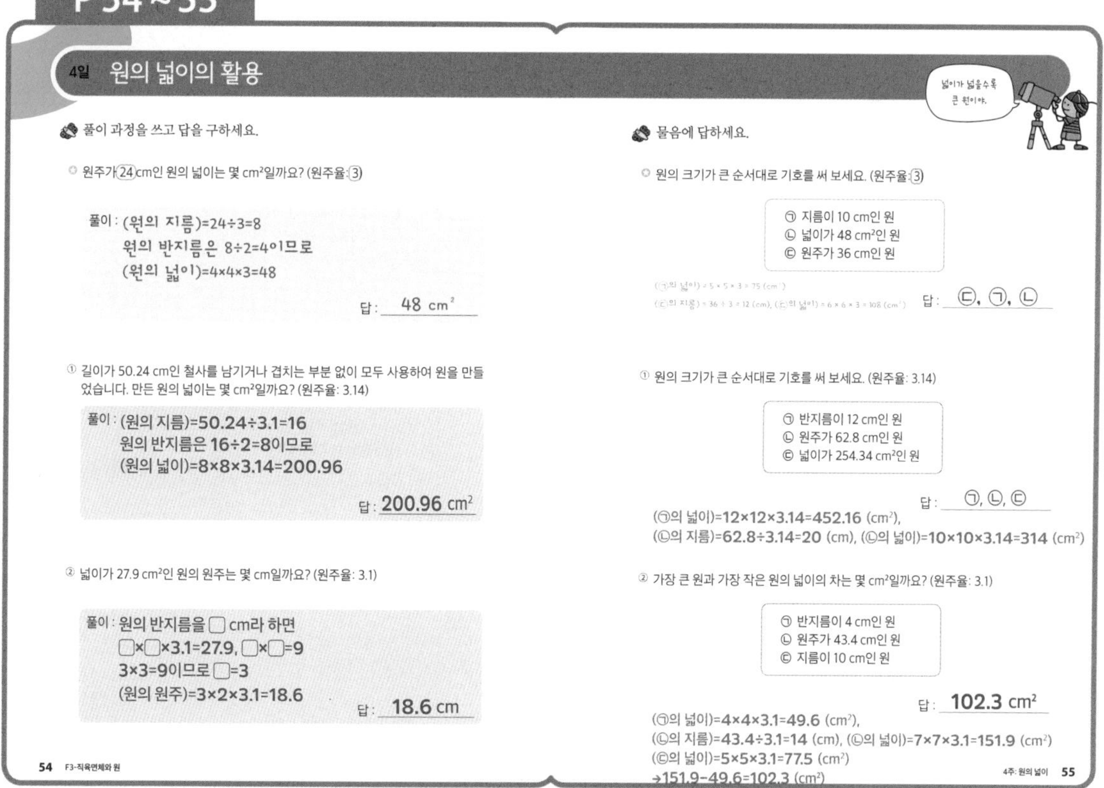

P 54 ~ 55

4일 원의 넓이의 활용

넓이가 넓을수록 큰 원이야.

풀이 과정을 쓰고 답을 구하세요.

◎ 원주가 ②④cm인 원의 넓이는 몇 cm^2일까요? (원주율: ③)

풀이: (원의 지름)=24÷3=8
원의 반지름은 8÷2=4이므로
(원의 넓이)=4×4×3=48

답: 48 cm^2

① 길이가 50.24 cm인 철사를 남기거나 겹치는 부분 없이 모두 사용하여 원을 만들었습니다. 만든 원의 넓이는 몇 cm^2일까요? (원주율: 3.14)

풀이: (원의 지름)=50.24÷3.1=16
원의 반지름은 16÷2=8이므로
(원의 넓이)=8×8×3.14=200.96

답: 200.96 cm^2

② 넓이가 27.9 cm^2인 원의 원주는 몇 cm일까요? (원주율: 3.1)

풀이: 원의 반지름을 □ cm라 하면
□×□×3.1=27.9, □×□=9
3×3=9이므로 □=3
(원의 원주)=3×2×3.1=18.6

답: 18.6 cm

물음에 답하세요.

◎ 원의 크기가 큰 순서대로 기호를 써 보세요. (원주율: ③)

㉠ 지름이 10 cm인 원
㉡ 넓이가 48 cm^2인 원
㉢ 원주가 36 cm인 원

(㉠의 넓이)=5×5×3=75 (cm^2)
(㉢의 지름)=36÷3=12 (cm), (㉢의 넓이)=6×6×3=108 (cm^2)

답: ㉢, ㉠, ㉡

① 원의 크기가 큰 순서대로 기호를 써 보세요. (원주율: 3.14)

㉠ 반지름이 12 cm인 원
㉡ 원주가 62.8 cm인 원
㉢ 넓이가 254.34 cm^2인 원

답: ㉠, ㉡, ㉢

(㉠의 넓이)=12×12×3.14=452.16 (cm^2),
(㉡의 지름)=62.8÷3.14=20 (cm), (㉡의 넓이)=10×10×3.14=314 (cm^2)

② 가장 큰 원과 가장 작은 원의 넓이의 차는 몇 cm^2일까요? (원주율: 3.1)

㉠ 반지름이 4 cm인 원
㉡ 원주가 43.4 cm인 원
㉢ 지름이 10 cm인 원

답: 102.3 cm^2

(㉠의 넓이)=4×4×3.1=49.6 (cm^2),
(㉡의 지름)=43.4÷3.1=14 (cm), (㉡의 넓이)=7×7×3.1=151.9 (cm^2)
(㉢의 넓이)=5×5×3.1=77.5 (cm^2)
→151.9−49.6=102.3 (cm^2)

54 F3-직육면체와 원 　　　 4주: 원의 넓이 55

원의 넓이

P 56 ~ 57

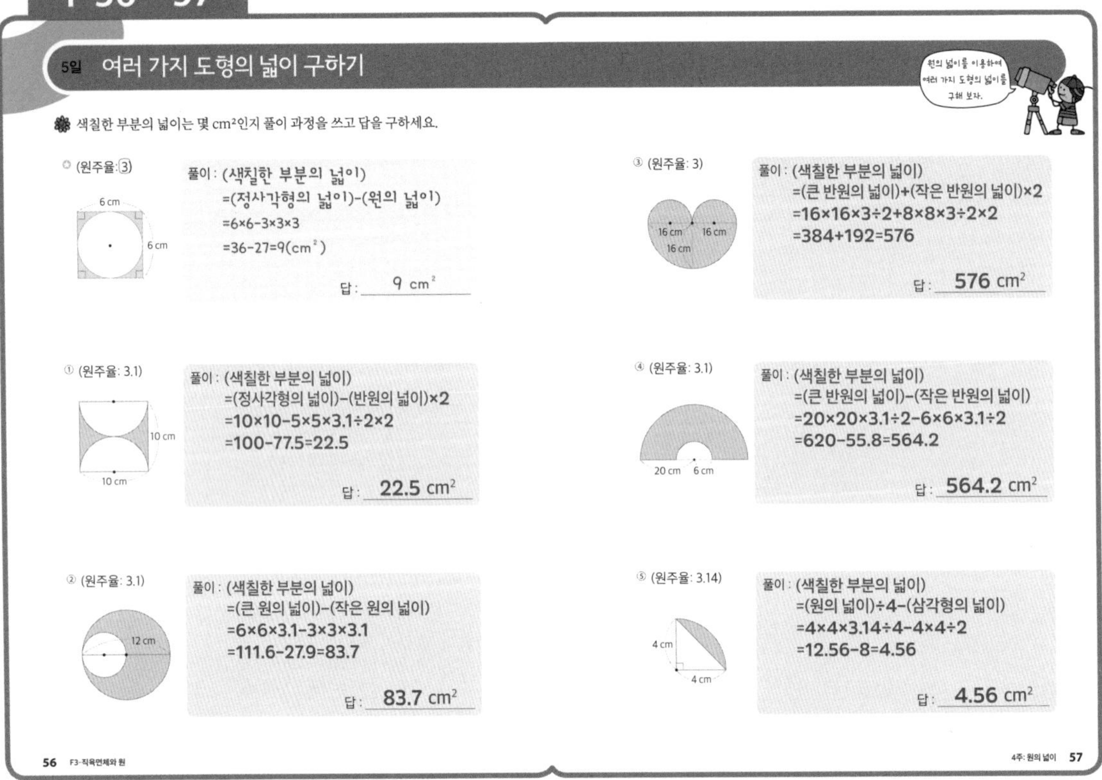

5일 여러 가지 도형의 넓이 구하기

❀ 색칠한 부분의 넓이는 몇 cm^2인지 풀이 과정을 쓰고 답을 구하세요.

◎ (원주율: 3)

풀이 : (색칠한 부분의 넓이)
=(정사각형의 넓이)-(원의 넓이)
$=6\times6-3\times3\times3$
$=36-27=9(cm^2)$

답 : $9\ cm^2$

① (원주율: 3.1)

풀이 : (색칠한 부분의 넓이)
=(정사각형의 넓이)-(반원의 넓이)×2
$=10\times10-5\times5\times3.1\div2\times2$
$=100-77.5=22.5$

답 : $22.5\ cm^2$

② (원주율: 3.1)

풀이 : (색칠한 부분의 넓이)
=(큰 원의 넓이)-(작은 원의 넓이)
$=6\times6\times3.1-3\times3\times3.1$
$=111.6-27.9=83.7$

답 : $83.7\ cm^2$

③ (원주율: 3)

풀이 : (색칠한 부분의 넓이)
=(큰 반원의 넓이)+(작은 반원의 넓이)×2
$=16\times16\times3\div2+8\times8\times3\div2\times2$
$=384+192=576$

답 : $576\ cm^2$

④ (원주율: 3.1)

풀이 : (색칠한 부분의 넓이)
=(큰 반원의 넓이)-(작은 반원의 넓이)
$=20\times20\times3.1\div2-6\times6\times3.1\div2$
$=620-55.8=564.2$

답 : $564.2\ cm^2$

⑤ (원주율: 3.14)

풀이 : (색칠한 부분의 넓이)
=(원의 넓이)÷4-(삼각형의 넓이)
$=4\times4\times3.14\div4-4\times4\div2$
$=12.56-8=4.56$

답 : $4.56\ cm^2$

56 F3-직육면체와 원 | 4주: 원의 넓이 57

P 58 ~ 59

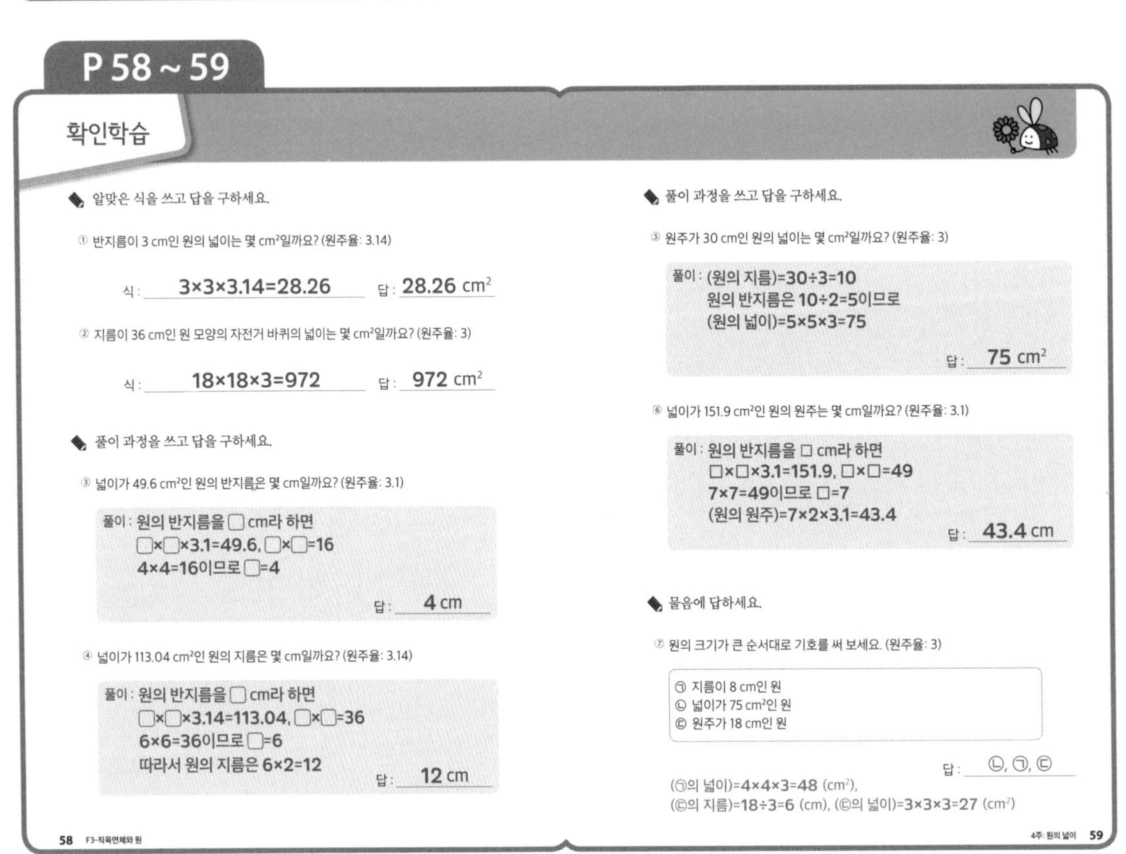

확인학습

✎ 알맞은 식을 쓰고 답을 구하세요.

① 반지름이 3 cm인 원의 넓이는 몇 cm^2일까요? (원주율: 3.14)

식 : $3\times3\times3.14=28.26$ 답 : $28.26\ cm^2$

② 지름이 36 cm인 원 모양의 자전거 바퀴의 넓이는 몇 cm^2일까요? (원주율: 3)

식 : $18\times18\times3=972$ 답 : $972\ cm^2$

✎ 풀이 과정을 쓰고 답을 구하세요.

③ 넓이가 $49.6\ cm^2$인 원의 반지름은 몇 cm일까요? (원주율: 3.1)

풀이 : 원의 반지름을 □cm라 하면
□×□×3.1=49.6, □×□=16
4×4=16이므로 □=4

답 : 4 cm

④ 넓이가 $113.04\ cm^2$인 원의 지름은 몇 cm일까요? (원주율: 3.14)

풀이 : 원의 반지름을 □cm라 하면
□×□×3.14=113.04, □×□=36
6×6=36이므로 □=6
따라서 원의 지름은 6×2=12

답 : 12 cm

✎ 풀이 과정을 쓰고 답을 구하세요.

⑤ 원주가 30 cm인 원의 넓이는 몇 cm^2일까요? (원주율: 3)

풀이 : (원의 지름)=30÷3=10
원의 반지름은 10÷2=5이므로
(원의 넓이)=5×5×3=75

답 : $75\ cm^2$

⑥ 넓이가 $151.9\ cm^2$인 원의 원주는 몇 cm일까요? (원주율: 3.1)

풀이 : 원의 반지름을 □ cm라 하면
□×□×3.1=151.9, □×□=49
7×7=49이므로 □=7
(원의 원주)=7×2×3.1=43.4

답 : 43.4 cm

✎ 물음에 답하세요.

⑦ 원의 크기가 큰 순서대로 기호를 써 보세요. (원주율: 3)

㉠ 지름이 8 cm인 원
㉡ 넓이가 $75\ cm^2$인 원
㉢ 원주가 18 cm인 원

답 : ㉡, ㉠, ㉢

(㉠의 넓이)=4×4×3=48 (cm^2),
(㉢의 지름)=18÷3=6 (cm), (㉢의 넓이)=3×3×3=27 (cm^2)

58 F3-직육면체와 원 | 4주: 원의 넓이 59

P 60

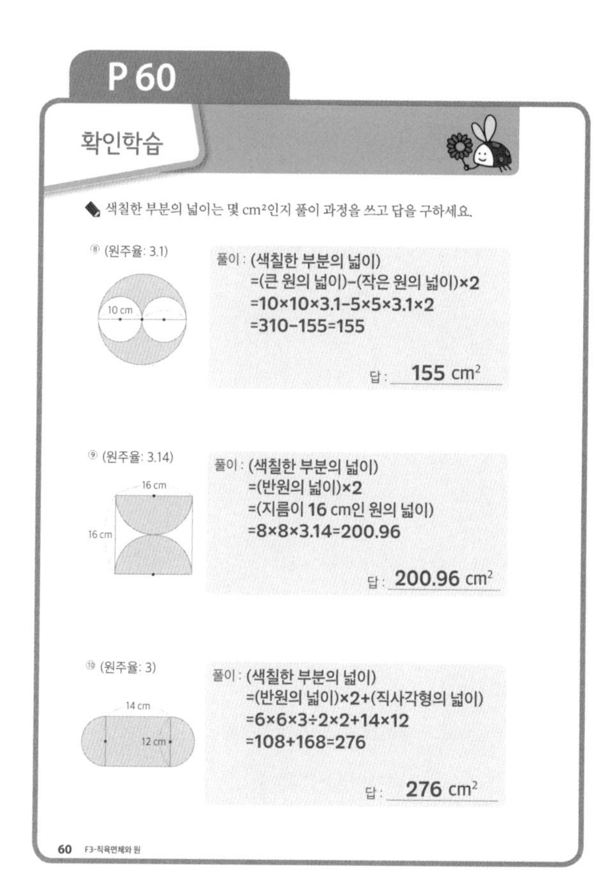

확인학습

색칠한 부분의 넓이는 몇 cm^2인지 풀이 과정을 쓰고 답을 구하세요.

⑧ (원주율: 3.1)

풀이 : (색칠한 부분의 넓이)
=(큰 원의 넓이)-(작은 원의 넓이)×2
=10×10×3.1-5×5×3.1×2
=310-155=155

답 : 155 cm^2

⑨ (원주율: 3.14)

풀이 : (색칠한 부분의 넓이)
=(반원의 넓이)×2
=(지름이 16 cm인 원의 넓이)
=8×8×3.14=200.96

답 : 200.96 cm^2

⑩ (원주율: 3)

풀이 : (색칠한 부분의 넓이)
=(반원의 넓이)×2+(직사각형의 넓이)
=6×6×3÷2×2+14×12
=108+168=276

답 : 276 cm^2

60 F3-직육면체와 원

5주 진단평가

P 62 ~ 63

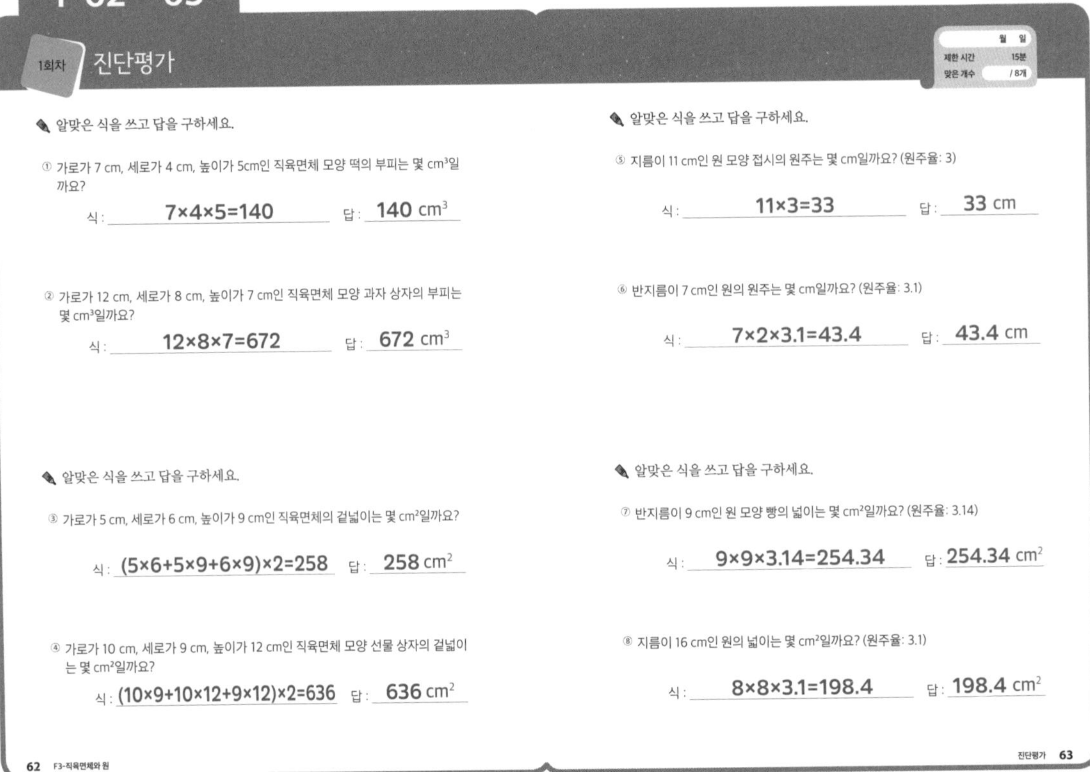

1회차 진단평가

월 일
제한 시간 15분
맞은 개수 / 8개

✎ 알맞은 식을 쓰고 답을 구하세요.

① 가로가 7 cm, 세로가 4 cm, 높이가 5cm인 직육면체 모양 떡의 부피는 몇 cm^3일까요?

식 : 7×4×5=140 답 : 140 cm^3

② 가로가 12 cm, 세로가 8 cm, 높이가 7 cm인 직육면체 모양 과자 상자의 부피는 몇 cm^3일까요?

식 : 12×8×7=672 답 : 672 cm^3

✎ 알맞은 식을 쓰고 답을 구하세요.

③ 가로가 5 cm, 세로가 6 cm, 높이가 9 cm인 직육면체의 겉넓이는 몇 cm^2일까요?

식 : (5×6+5×9+6×9)×2=258 답 : 258 cm^2

④ 가로가 10 cm, 세로가 9 cm, 높이가 12 cm인 직육면체 모양 선물 상자의 겉넓이는 몇 cm^2일까요?

식 : (10×9+10×12+9×12)×2=636 답 : 636 cm^2

62 F3-직육면체와 원

✎ 알맞은 식을 쓰고 답을 구하세요.

⑤ 지름이 11 cm인 원 모양 접시의 원주는 몇 cm일까요? (원주율: 3)

식 : 11×3=33 답 : 33 cm

⑥ 반지름이 7 cm인 원의 원주는 몇 cm일까요? (원주율: 3.1)

식 : 7×2×3.1=43.4 답 : 43.4 cm

✎ 알맞은 식을 쓰고 답을 구하세요.

⑦ 반지름이 9 cm인 원 모양 빵의 넓이는 몇 cm^2일까요? (원주율: 3.14)

식 : 9×9×3.14=254.34 답 : 254.34 cm^2

⑧ 지름이 16 cm인 원의 넓이는 몇 cm^2일까요? (원주율: 3.1)

식 : 8×8×3.1=198.4 답 : 198.4 cm^2

진단평가 63

P 64 ~ 65

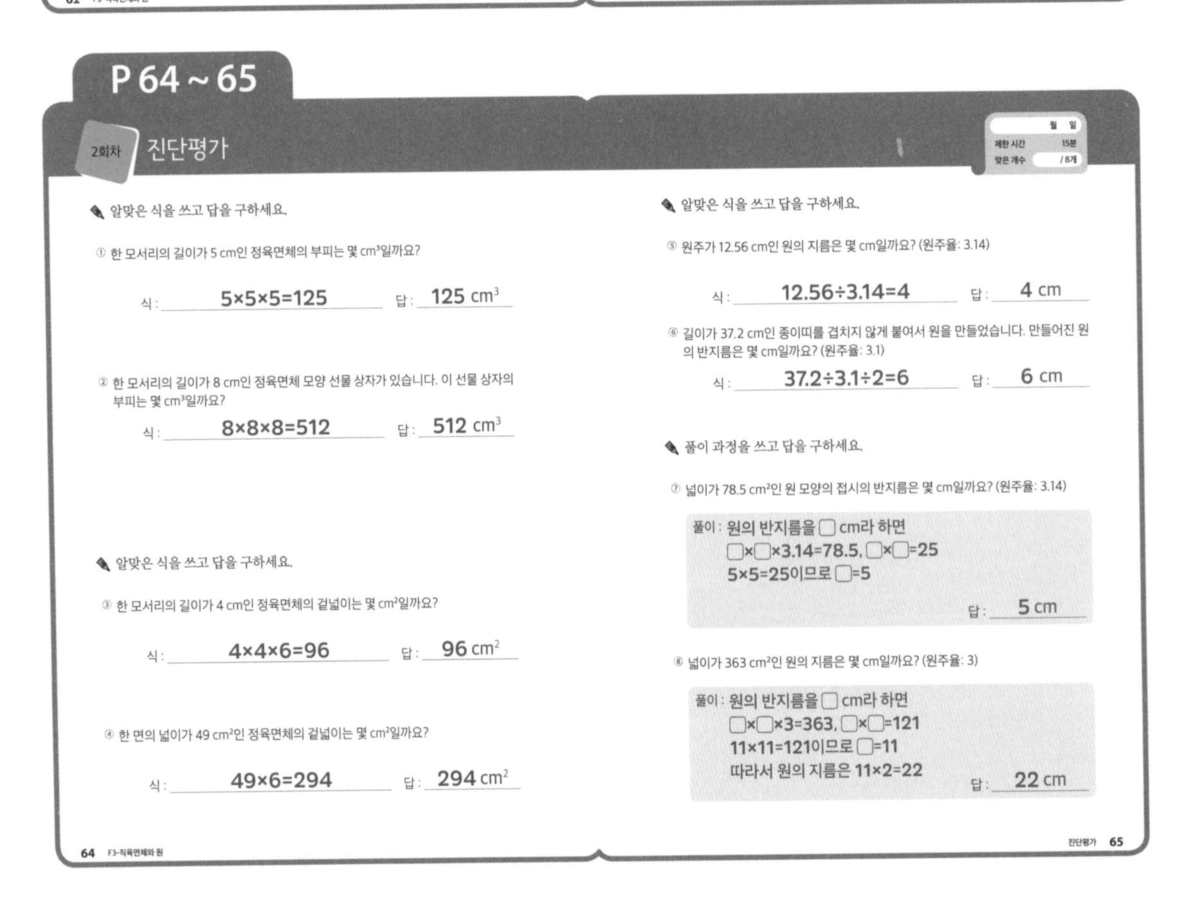

2회차 진단평가

월 일
제한 시간 15분
맞은 개수 / 8개

✎ 알맞은 식을 쓰고 답을 구하세요.

① 한 모서리의 길이가 5 cm인 정육면체의 부피는 몇 cm^3일까요?

식 : 5×5×5=125 답 : 125 cm^3

② 한 모서리의 길이가 8 cm인 정육면체 모양 선물 상자가 있습니다. 이 선물 상자의 부피는 몇 cm^3일까요?

식 : 8×8×8=512 답 : 512 cm^3

✎ 알맞은 식을 쓰고 답을 구하세요.

③ 한 모서리의 길이가 4 cm인 정육면체의 겉넓이는 몇 cm^2일까요?

식 : 4×4×6=96 답 : 96 cm^2

④ 한 면의 넓이가 49 cm^2인 정육면체의 겉넓이는 몇 cm^2일까요?

식 : 49×6=294 답 : 294 cm^2

64 F3-직육면체와 원

✎ 알맞은 식을 쓰고 답을 구하세요.

⑤ 원주가 12.56 cm인 원의 지름은 몇 cm일까요? (원주율: 3.14)

식 : 12.56÷3.14=4 답 : 4 cm

⑥ 길이가 37.2 cm인 종이띠를 겹치지 않게 붙여서 원을 만들었습니다. 만들어진 원의 반지름은 몇 cm일까요? (원주율: 3.1)

식 : 37.2÷3.1÷2=6 답 : 6 cm

✎ 풀이 과정을 쓰고 답을 구하세요.

⑦ 넓이가 78.5 cm^2인 원 모양의 접시의 반지름은 몇 cm일까요? (원주율: 3.14)

풀이 : 원의 반지름을 □cm라 하면
□×□×3.14=78.5, □×□=25
5×5=25이므로 □=5

답 : 5 cm

⑧ 넓이가 363 cm^2인 원의 지름은 몇 cm일까요? (원주율: 3)

풀이 : 원의 반지름을 □cm라 하면
□×□×3=363, □×□=121
11×11=121이므로 □=11
따라서 원의 지름은 11×2=22

답 : 22 cm

진단평가 65

P 66 ~ 67

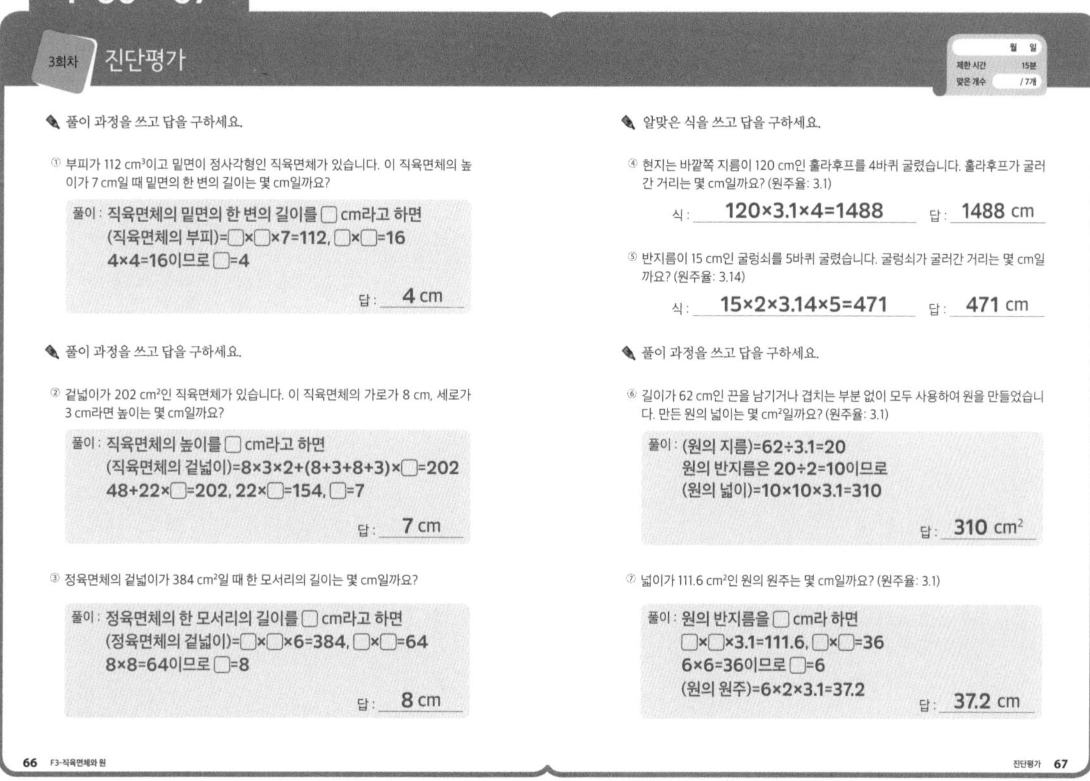

3회차 진단평가

제한 시간 15분 맞은 개수 /7개

✎ 풀이 과정을 쓰고 답을 구하세요.

① 부피가 112 cm³이고 밑면이 정사각형인 직육면체가 있습니다. 이 직육면체의 높이가 7 cm일 때 밑면의 한 변의 길이는 몇 cm일까요?

풀이 : 직육면체의 밑면의 한 변의 길이를 □ cm라고 하면
(직육면체의 부피)=□×□×7=112, □×□=16
4×4=16이므로 □=4

답 : 4 cm

✎ 풀이 과정을 쓰고 답을 구하세요.

② 겉넓이가 202 cm²인 직육면체가 있습니다. 이 직육면체의 가로가 8 cm, 세로가 3 cm라면 높이는 몇 cm일까요?

풀이 : 직육면체의 높이를 □ cm라고 하면
(직육면체의 겉넓이)=8×3×2+(8+3+8+3)×□=202
48+22×□=202, 22×□=154, □=7

답 : 7 cm

③ 정육면체의 겉넓이가 384 cm²일 때 한 모서리의 길이는 몇 cm일까요?

풀이 : 정육면체의 한 모서리의 길이를 □ cm라고 하면
(정육면체의 겉넓이)=□×□×6=384, □×□=64
8×8=64이므로 □=8

답 : 8 cm

✎ 알맞은 식을 쓰고 답을 구하세요.

④ 현지는 바깥쪽 지름이 120 cm인 훌라후프를 4바퀴 굴렸습니다. 훌라후프가 굴러간 거리는 몇 cm일까요? (원주율: 3.1)

식 : 120×3.1×4=1488　답 : 1488 cm

⑤ 반지름이 15 cm인 굴렁쇠를 5바퀴 굴렸습니다. 굴렁쇠가 굴러간 거리는 몇 cm일까요? (원주율: 3.14)

식 : 15×2×3.14×5=471　답 : 471 cm

✎ 풀이 과정을 쓰고 답을 구하세요.

⑥ 길이가 62 cm인 끈을 남기거나 겹치는 부분 없이 모두 사용하여 원을 만들었습니다. 만든 원의 넓이는 몇 cm²일까요? (원주율: 3.1)

풀이 : (원의 지름)=62÷3.1=20
원의 반지름은 20÷2=10이므로
(원의 넓이)=10×10×3.1=310

답 : 310 cm²

⑦ 넓이가 111.6 cm²인 원의 원주는 몇 cm일까요? (원주율: 3.1)

풀이 : 원의 반지름을 □ cm라 하면
□×□×3.1=111.6, □×□=36
6×6=36이므로 □=6
(원의 원주)=6×2×3.1=37.2

답 : 37.2 cm

66 F3-직육면체와 원　　진단평가 67

P 68 ~ 69

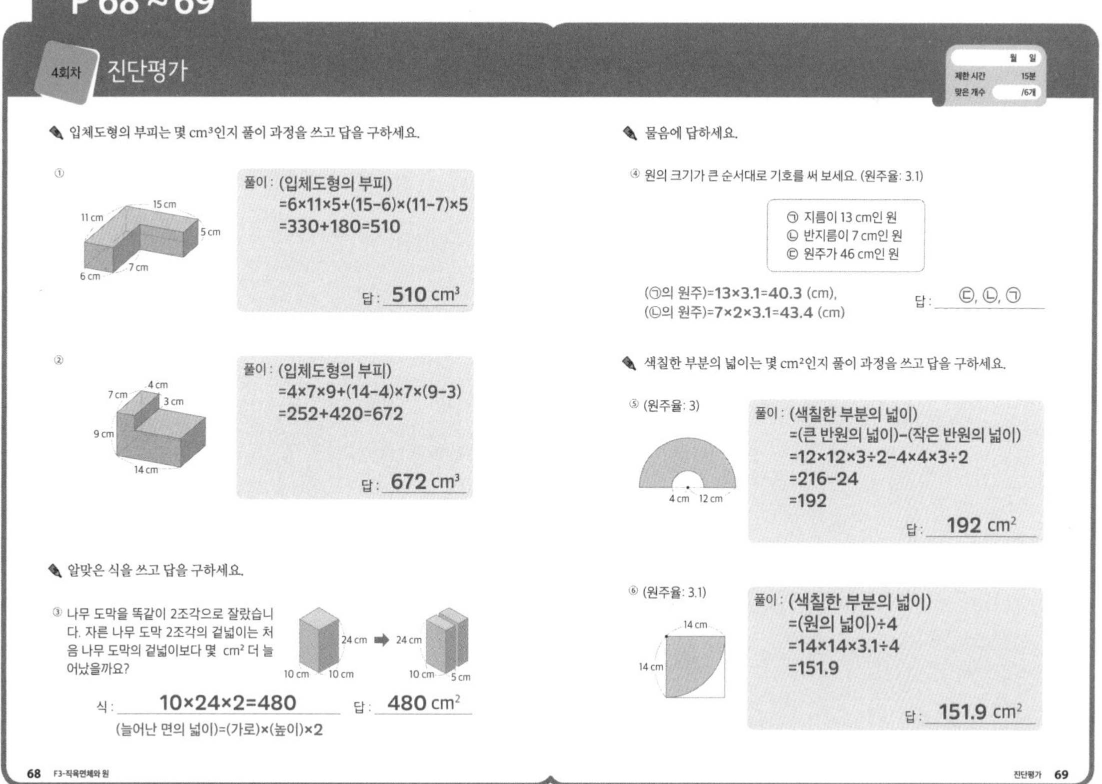

4회차 진단평가

제한 시간 15분 맞은 개수 /6개

✎ 입체도형의 부피는 몇 cm³인지 풀이 과정을 쓰고 답을 구하세요.

①

풀이 : (입체도형의 부피)
=6×11×5+(15−6)×(11−7)×5
=330+180=510

답 : 510 cm³

②

풀이 : (입체도형의 부피)
=4×7×9+(14−4)×7×(9−3)
=252+420=672

답 : 672 cm³

✎ 알맞은 식을 쓰고 답을 구하세요.

③ 나무 도막을 똑같이 2조각으로 잘랐습니다. 자른 나무 도막 2조각의 겉넓이는 처음 나무 도막의 겉넓이보다 몇 cm² 더 늘어났을까요?

식 : 10×24×2=480　답 : 480 cm²

(늘어난 면의 넓이)=(가로)×(높이)×2

✎ 물음에 답하세요.

④ 원의 크기가 큰 순서대로 기호를 써 보세요. (원주율: 3.1)

㉠ 지름이 13 cm인 원
㉡ 반지름이 7 cm인 원
㉢ 원주가 46 cm인 원

(㉠의 원주)=13×3.1=40.3 (cm),
(㉡의 원주)=7×2×3.1=43.4 (cm)

답 : ㉢, ㉡, ㉠

✎ 색칠한 부분의 넓이는 몇 cm²인지 풀이 과정을 쓰고 답을 구하세요.

⑤ (원주율: 3)

풀이 : (색칠한 부분의 넓이)
=(큰 반원의 넓이)−(작은 반원의 넓이)
=12×12×3÷2−4×4×3÷2
=216−24
=192

답 : 192 cm²

⑥ (원주율: 3.1)

풀이 : (색칠한 부분의 넓이)
=(원의 넓이)÷4
=14×14×3.1÷4
=151.9

답 : 151.9 cm²

68 F3-직육면체와 원　　진단평가 69

P 70 ~ 71

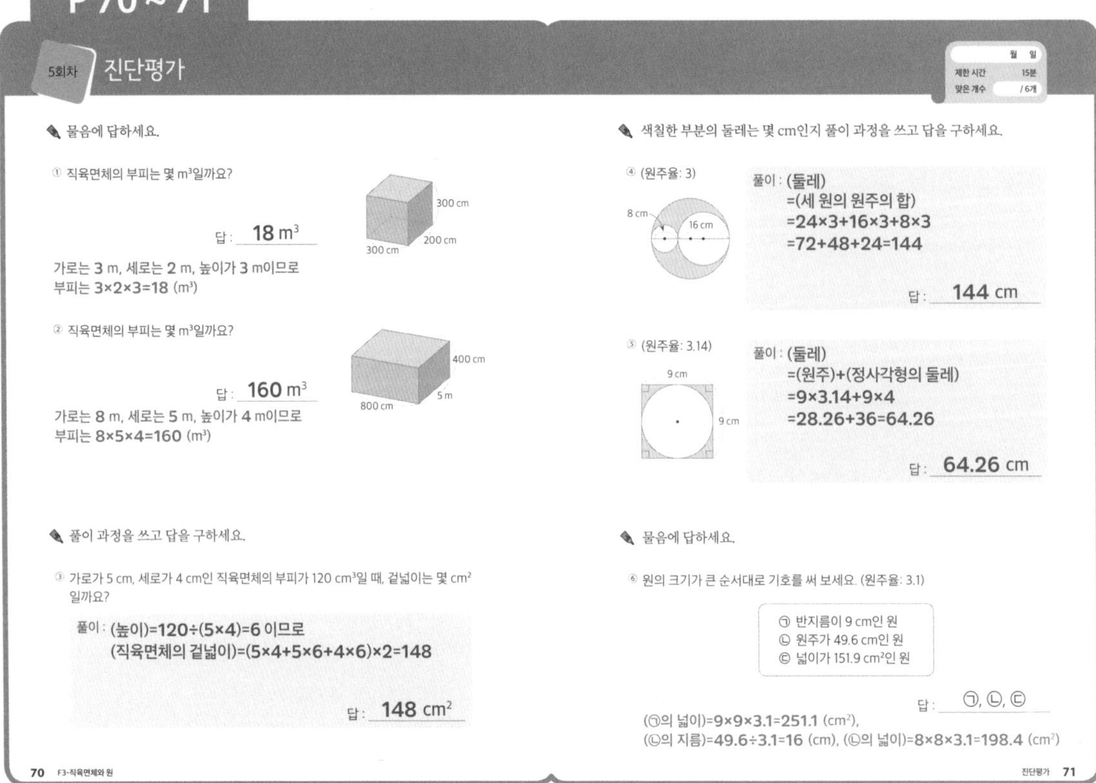

5회차 진단평가

월 일
제한 시간 15분
맞은 개수 /6개

✎ 물음에 답하세요.

① 직육면체의 부피는 몇 m^3일까요?

답: 18 m^3

가로는 3 m, 세로는 2 m, 높이가 3 m이므로
부피는 3×2×3=18 (m^3)

② 직육면체의 부피는 몇 m^3일까요?

답: 160 m^3

가로는 8 m, 세로는 5 m, 높이가 4 m이므로
부피는 8×5×4=160 (m^3)

✎ 풀이 과정을 쓰고 답을 구하세요.

③ 가로가 5 cm, 세로가 4 cm인 직육면체의 부피가 120 cm^3일 때, 겉넓이는 몇 cm^2일까요?

풀이: (높이)=120÷(5×4)=6 이므로
(직육면체의 겉넓이)=(5×4+5×6+4×6)×2=148

답: 148 cm^2

✎ 색칠한 부분의 둘레는 몇 cm인지 풀이 과정을 쓰고 답을 구하세요.

④ (원주율: 3)

풀이: (둘레)
=(세 원의 원주의 합)
=24×3+16×3+8×3
=72+48+24=144

답: 144 cm

⑤ (원주율: 3.14)

풀이: (둘레)
=(원주)+(정사각형의 둘레)
=9×3.14+9×4
=28.26+36=64.26

답: 64.26 cm

✎ 물음에 답하세요.

⑥ 원의 크기가 큰 순서대로 기호를 써 보세요. (원주율: 3.1)

㉠ 반지름이 9 cm인 원
㉡ 원주가 49.6 cm인 원
㉢ 넓이가 151.9 cm^2인 원

답: ㉠, ㉡, ㉢

(㉠의 넓이)=9×9×3.1=251.1 (cm^2),
(㉡의 지름)=49.6÷3.1=16 (cm), (㉡의 넓이)=8×8×3.1=198.4 (cm^2)

70 F3-직육면체와 원 | 진단평가 71

“

The essence of mathematics is its freedom.

”

"수학의 본질은 그 자유로움에 있다."

Georg Cantor, 게오르크 칸토어